Diogenes Taschenbuch 21736

Friedrich Glauser
Sämtliche Kriminalromane
Band 4

Friedrich Glauser

Der Chinese

Roman

Diogenes

Erstdruck ab 26. Juli 1938
in der ›National-Zeitung‹, Basel
Diese Ausgabe bringt den vollständigen Text
der 1939 im Morgarten-Verlag AG Zürich erschienenen
Erstausgabe; sie wurde um ein Inhaltsverzeichnis ergänzt
Umschlagillustration: Heinrich Gretler als Wachtmeister Studer,
Adolf Manz als Gemeindepräsident Aeschbacher und
Zarli Carigiet als Schreier im Film
›Wachtmeister Studer‹ der Präsens-Film AG Zürich
aus dem Jahr 1939, Regie Leopold Lindtberg
Abdruck mit freundlicher Genehmigung
der Rialto-Film AG Zürich

Veröffentlicht als Diogenes Taschenbuch, 1989

www.diogenes.ch
30/01/8/8
ISBN 3 257 21736 6

Inhalt

Ein Toter auf einem Grab und zwei streitende Herren

Studer stellte das Gas ab, stieg von seinem Motorrad und wunderte sich über die plötzliche Stille, die von allen Seiten auf ihn eindrang. Aus dem Nebel, der filzig und gelb und fett war wie ungewaschene Wolle, tauchten Mauern auf, die roten Ziegel eines Hausdaches leuchteten. Dann stach durch den Dunst ein Sonnenstrahl und traf ein rundes Schild: es glühte auf wie Gold – nein, es war kein Gold, sondern irgendein anderes, viel unedleres Metall – zwei Augen, eine Nase, ein Mund waren auf die Platte gezeichnet; von seinem Rande gingen steife Haarsträhnen aus. Unter diesem Schild baumelte eine Inschrift: »Wirtschaft zur Sonne«; ausgetretene Steintreppen führten zu einer Tür, in deren Rahmen ein uraltes Mannli stand, das dem Wachtmeister bekannt vorkam. Doch dieser Alte schien Studer nicht kennen zu wollen, denn er wandte sich ab und verschwand im Innern des Hauses. Ein Luftzug brachte den Nebel wieder in Wallung – Haus, Tür und Wirtschaftsschild verschwanden.

Und wieder durchbrach die Sonne das Grau, ein Mäuerlein rechts von der Straße tauchte auf, Glasperlen glänzten auf Kränzen, goldene Buchstaben auf Grabmälern und Buchsblätter funkelten wie Smaragde.

Aber um ein Grab standen drei Gestalten: ihm zu Häupten ein Landjäger in Uniform, rechts ein elegant gekleideter Glattrasierter, der jung schien, links ein älterer Herr, dessen ungepflegter Bart gelblichweiß war. Bis auf die Straße war das erbitterte Gezänke dieser beiden zu hören.

Studer zuckte die Achseln, rollte sein Rad zu der Treppe mit den ausgetretenen Stufen, schob den Ständer unter das Hinterrad, betrat dann den Friedhof und ging auf das Grab zu, über dem zwei Lebende stritten, während ein Dritter es schweigend bewachte.

Und Wachtmeister Studer von der Berner Kantonspolizei seufzte während des Gehens einige Male sehr bekümmert, weil er dachte, er habe es nicht leicht im Leben...

Heute morgen hatte der Statthalter von Roggwil ins Amtshaus telephoniert: – Auf dem Friedhof des Dorfes Pfründisberg sei die Leiche eines gewissen Farny gefunden worden, der seit neun Monaten in der Wirtschaft »zur Sonne« gewohnt habe. Vom Wirte Brönnimann sei der Tote gefunden und der Landjäger Merz benachrichtigt worden; dieser habe dann gemeldet, die Ursache des Hinschiedes sei ein Herzschuß. »Eine Untersuchung habe ich bis jetzt nicht führen können, doch kommt mir der Fall verdächtig vor. Der Arzt behauptet, es handle sich um einen Selbstmord. Ich bin nicht dieser Meinung! Um Sicherheit zu haben, scheint es mir wichtig, daß ein geschulter Fahnder zugegen ist. Der Friedhof liegt gerade der Wirtschaft gegenüber...«

»Das weiß ich«, hatte Studer unterbrochen, und ein unangenehmes Frösteln war ihm über den Rücken gelaufen. Eine Julinacht war nämlich in seiner Erinnerung aufgestiegen; ein Fremder hatte ihm damals diesen Mord prophezeit...

»Ah, das wissen Sie? Wer spricht eigentlich dort?«

»Wachtmeister Studer. Der Hauptmann ist beschäftigt.«

»Gut, gut! Der Studer! Ausgezeichnet! Kommen Sie sofort! Ich erwarte Sie auf dem Kirchhof...«

Studer seufzte zum vierten Male, hob seine mächtigen Schultern, kratzte seine dünne, spitze Nase und fluchte innerlich. Natürlich würde es diesmal gehen, wie all die anderen Male. Man war kein berühmter Kriminalist, obwohl man immerhin in früheren Zeiten viel studiert hatte. Wegen einer Intrigenaffäre verlor man die Stelle eines Kommissars an der Stadtpolizei, fing an der Kantonspolizei wieder an – und stieg in kurzer Zeit zum Wachtmeister auf. Obwohl man abgebaut worden war, obwohl man Feinde genug hatte, mußte man stets einspringen, wenn es einen komplizierten Fall gab. So auch diesmal. Nach dem Telephongespräch hatte Studer dem Hauptmann Rapport erstattet und den Vorfall jener Julinacht erwähnt... »Geh nur, Studer! Aber komm erst zurück, wenn du etwas Sicheres weißt – wenn der Fall aufgeklärt ist. Verstanden?« – »Mira... Aadiö!« Studer hatte sein Töff bestiegen, war losgefahren. Die Julinacht vor haargenau vier Monaten! In ihr hatte er jenen Fremden kennengelernt, der den Schweizer Namen Farny trug – und dieser Fremde war nun also tot...

»Sie können dem Himmel danken! Ja! Dem Himmel können Sie danken, Herr Statthalter Ochsenbein, daß ich meine Praxis nun bald aufgebe! Denn sonst müßten Sie mir Red' und Antwort stehen! Lachen Sie nur... Sprengt man für einen offensichtlichen Selbstmord – ähämhäm –, alarmiert man für einen Selbstmord jawohl! die gesamte Kantonspolizei?«

Also sprach der ältere Herr (gelblichweiße Barthaare wucherten um seinen großen Mund); der elegante Glattrasierte hob abwehrend seine Hände, die in braunen Glacéhandschuhen steckten.

»Herr Doktor Buff, mäßigen Sie Ihre Rede! Schließlich bin ich Amtsperson ...«

»Amtsperson! ... Hahaha! ... Da muß ja ein Roß lachen!« Warum sprechen die beiden eigentlich Schriftdeutsch? fragte sich Studer. »Sie halten sich für eine Amtsperson? Eine Amtsperson sieht auf den ersten Blick, daß es sich hier um einen Selbstmord handelt, *um einen Selbstmord*, Herr Statthalter Ochsenbein!«

»*Um einen Mord!* Jawohl, um einen Mord, Herr Doktor Buff! Wenn Sie in Ihrem Alter nicht einmal einen Mord von einem Selbstmord unterscheiden können ...«

»In meinem Alter! In meinem Alter! Will so ein junges Mondkalb ... Ja! Ein Mondkalb, ich beharre auf diesem Wort ... mir altem Arzte erklären, wo es sich um einen Mord handelt und wo ...«

»In meinen behördlichen Vorschriften steht, daß ich in Zweifelsfällen stets eine kriminalistisch geschulte Autorität ...«

Studer hörte nicht mehr zu. Durch seinen Sinn spazierte ein Verslein:

Dinge gehen vor im Mond,
Die das Mondkalb nicht gewohnt,

Tulemond und Mondamin
Liegen heulend auf den Knien ...

Aber er rief sich selbst zur Ordnung, denn es schickte sich nicht, vor einer Leiche an lustige Gedichtlein zu denken.

Die Leiche: Das Gesicht war alt, ein weißer Schnurrbart fiel über die Mundwinkel, weich, wie eine jener Seidensträhnen, die Frauen zu feinen Handarbeiten gebrauchen. Die Augen geschlitzt ... Es war der Mann, den Studer vor vier Monaten in einer Julinacht kennengelernt und den er vom ersten Augenblick an den »Chinesen« genannt hatte.

Während der alte Landarzt, der in seinem abgetragenen Havelock einen arg verwahrlosten Eindruck machte, mit dem eleganten Statthalter weiter diskutierte, dachte der Wachtmeister zum dritten Male an diesem Morgen an jene Julinacht. Und wenn die Erinnerung an dieses merkwürdige Erlebnis die beiden andern Male noch dunkel gewesen war, so wurde es jetzt klar, farbig, und auch die Worte, die damals gesprochen worden waren, begannen in Studers Ohren zu klingen ...

Er fragte – und wie die Stimme eines Friedensengels klang die seine, als sie die schriftdeutsche Diskussion zweier Berner unterbrach: »Wer liegt hier begraben?«

Dr. Buff antwortete:

»Der Hausvater der Armenanstalt hat vor zehn Tagen seine Frau verloren ...«

»Der Hausvater Hungerlott?«

Der Arzt nickte. Im Nacken und über den Ohren waren seine Haare allzulang.

»Wie wollen Sie erklären, Herr Doktor Buff«, sagte der

Statthalter, »daß ein Selbstmörder sich ins Herz schießt, während die Kugel weder seinen Mantel noch seine Kutte, nicht einmal Hemd und Weste durchlöchert hat? ... Ist das ein Selbstmord, Wachtmeister? Sie sehen es ja selbst. Die Kleider sind zugeknöpft. So haben wir die Leiche gefunden. Aber der Herzschuß ist da.«

Studer nickte verträumt.

»Und der Revolver?« krächzte Dr. Buff. »Liegt der Revolver nicht neben der rechten Hand des Toten? Ist das nicht ein Selbstmord?«

Studer sah die große Repetierpistole – und erkannte ihn wieder, diesen Colt. Er nickte, nickte –, und dann schwieg er fünf Minuten, weil die Nacht des 18. Juli wie ein Film durch seinen Sinn flimmerte ...

Erinnerungen

Es war ein Zufall, daß Studer an jenem Abend in Pfründisberg abgestiegen war. In Olten hatte er vergessen zu tanken. Deshalb war er damals in der Wirtschaft »zur Sonne« eingekehrt...

Er trat ein. An der Tür, die ins Nebenzimmer führte, stand ein Eisenofen, der silbern schimmerte, weil er mit Aluminiumfarbe bestrichen war. Vier Männer saßen um einen Tisch und jaßten. Studer schüttelte sich wie ein großer Neufundländer, denn auf seiner Lederjoppe lag viel Staub. Er nahm Platz in einer Ecke... Niemand kümmerte sich um ihn. Nach einer Weile fragte er, ob man hier eine Kanne Benzin haben könne. Einer der Jasser, ein uraltes Mannli in einer Weste mit angesetzten Leinenärmeln, sagte zu seinem Partner:

»Er wott es Chesseli Benzin...«

»Mhm... Er wott es Chesseli Benzin...«

Schweigen... Die Luft hockte dumpf und stickig im Raum, weil die Fenster geschlossen waren; durch die Scheiben sah man das grüngestrichene Holz der Läden. Studer wunderte sich, weil keine Serviertochter erschien, um nach seinen Wünschen zu fragen. Der Partner des Alten meinte:

»Du hescht d'Stöck nid g'schrybe.«

Der Wachtmeister stand auf und erkundigte sich, wo es hier auf die Laube gehe, denn in dem Zimmer war es erstens heiß und zweitens saß an dem Tische, wo gejaßt wurde, ein magerer Spitzbart, den Studer kannte: der Hausvater der Armenanstalt Pfründisberg, Hungerlott mit Namen... Ein unsympathischer Mensch, den man kennengelernt hatte, früher, als man noch Gefreiter an der Kantonspolizei war und Transporte vom Amtshaus nach Pfründisberg machen mußte. Gerade heut abend hatte man gar keine Lust, mit diesem Hungerlott z'brichten...

»Nume de Gang hingere...«, sagte der Uralte und: – der Weg sei nicht zu verfehlen.

Als Studer ins Freie trat, atmete er auf, trotzdem die Luft schwül war. Am Horizont kauerten riesige Wolken, im Zenit hing ein winziger Mond, nicht größer als eine unreife Zitrone, und warf sein spärliches Licht über die Landschaft. Dann verschwand auch er, und in der Nähe war einzig hell erleuchtet das Erdgeschoß eines großen Baues, der etwa vierhundert Meter entfernt von der Wirtschaft sich erhob. Der Wachtmeister lehnte sich an das Geländer der Laube und blickte über das stille Land; dicht vor seinen Augen wuchs ein Ahorn – die Blätter des nächsten Astes waren so deutlich, daß man sie einzeln zählen konnte. Als er sich nach der Lichtquelle umwandte, sah er hinter den Scheiben eines Fensters, das auf die Laube ging, eine Lampe, die einen schreibenden Mann beschien. Keine Vorhänge vor den Scheiben... Der Mann saß an einem Tisch, ein Stapel von fünf Wachstuchheften erhob sich neben seinem rechten Ellbogen – der Mann war damit beschäftigt, ein sechstes Heft vollzuschreiben. Sonderbar... Wie kam ein fremder Gast dazu, in dem Krachen Pfründisberg seine Memoiren zu schreiben...?

Pfründisberg: eine Armenanstalt, eine Gartenbauschule, zwei Bauernhöfe. Das einzige, was dem Weiler Wichtigkeit gab, war die Tatsache, daß das Dorf Gampligen – zwei Kilometer weit entfernt – seine Toten in Pfründisberg begrub ...

Dies alles ging Studer durch den Kopf, während er vor dem Fenster stand und dem einsamen Manne zusah, der unermüdlich in sein Wachstuchheft schrieb. Ein weißer Schnurrbart bedeckte seine Mundwinkel, die Backenknochen sprangen vor und die Augen sahen aus wie geschlitzt. Bevor er noch ein Wort mit dem Fremden gesprochen hatte, nannte ihn Studer bei sich: den »Chinesen«.

Und wahrscheinlich hätte der Wachtmeister an diesem Abend des 18. Juli gar nicht die Bekanntschaft des Mannes gemacht, wenn ihm nicht ein kleines Mißgeschick passiert wäre. War es der Staub der Landstraße, war es eine beginnende Erkältung? Kurz, Studer mußte niesen.

Die Reaktion des Fremden auf dieses unschuldige Geräusch war merkwürdig: Der Mann sprang auf, so eilig, daß sein Stuhl umfiel, seine rechte Hand fuhr in die Seitentasche der Hausjoppe aus Kamelhaar. In zwei seitlichen Sprüngen war er am Fenster und suchte dort Deckung in der Mauernische. Seine Linke griff nach dem Fensterriegel, riß die Flügel auf ... Kurzes Schweigen; dann fragte der Mann: »Wer ist da?«

Studer war hell beleuchtet und seine massige Gestalt warf einen breiten Schatten auf die Laubenbrüstung.

»Ich«, sagte er.

»Antworten Sie nicht so dumm«, schnauzte der Fremde. »Ich will wissen, wer Sie sind.«

Der Mann sprach das Deutsche mit englischem Akzent. Englisch? Merkwürdig war nur, daß unter dieser fremdländischen Aussprache etwas Heimatliches hervorlugte, das nicht genau zu bestimmen war. Vielleicht lag es an der Betonung des Wortes »will«, das der Mann wie »wiu« aussprach.

»Kantonspolizei Bern«, sagte Studer gemütlich.

»Legitimation.«

Studer zeigte sie schweren Herzens, denn die Photographie, die auf diesem Ausweis klebte, hatte ihm immer Kummer bereitet. Er fand, er sehe aus auf ihr wie ein Seelöwe, der an Liebesgram leidet.

Der Fremde gab den Ausweis zurück. Die Situation war immer noch unangenehm, denn der Wachtmeister wußte genau, daß der Fremde in der Seitentasche seiner Joppe einen Revolver trug; und es war unangenehm zu denken, daß ein Bauchschuß drohte. Wie eine lästige Mücke hörte der Wachtmeister das Wort »Laparotomie« in seinem Kopfe surren und er atmete auf, als der Fremde endlich seine Rechte aus der Kuttentasche zog.

Nun fragte Studer bescheiden und übertrieben höflich, in saubersten Hochdeutsch:

»Darf *ich* mir jetzt erlauben, *Ihre* Papiere zu verlangen?«

»Surely ... sicher ...«

Der Fremde trat an den Tisch, zog eine Schublade auf und kam mit einem Paß zurück.

Ein Schweizer Paß! ... Ausgestellt für Farny James, heimatberechtigt in Gampligen, Kanton Bern; geboren am 13. März 1878, ausgestellt in Toronto, erneuert 1903 in Schanghai, erneuert in Sydney, erneuert in Tokio, erneuert... erneuert... erneuert... erneuert 1928 in Chikago, U.S.A., ... Grenzübertritt am 18. Februar 1931 in Genf...

»Seit fünf Monaten sind Sie wieder in der Schweiz, Herr Farny?« fragte Studer.

»Surely, fünf Monate. Habe die Heimat wieder sehen wollen...« Da war er wieder, der Laut! Der »Chinese« sagte: »He-imat« mit scharf getrenntem »e–i«, während ein Engländer das »ai« sicher übertrieben hätte. »Sie sind... wie sagt man?... ein höherer Polizeibeamter? Ein... wie sagt man... Inspektor, nicht nur ein Policeman?«

»Wachtmeister«, sagte Studer gemütlich.

»Dann werden Sie zugezogen, wenn passiert zum Beispiel ein Mord?« – Studer nickte.

»Es kann nämlich möglich sein, daß ich ermordet werde«, sagte der »Chinese«. »Vielleicht heute, vielleicht morgen, vielleicht in einem Monat – und vielleicht geht es auch länger... Sie trinken?«

Das Gewitter

Stille ... Nun kauerten die Wolken nicht mehr am Horizont. Sie waren höher gestiegen und bedeckten den Himmel. Ein Blitz zerschnitt die Nacht, der Schlag, der folgte, war heftig und ging dann über in ein Poltern und Grollen, das sich hinter den Hügeln verlor. Aber offenbar hatte es Kurzschluß in der Leitung gegeben. Die Lampe im Zimmer des »Chinesen« erlosch, doch auch gegen derartige Störungen war Herr Farny gewappnet, denn es vergingen kaum fünf Sekunden, bis der Lichtkegel einer Taschenlampe die Laube bestrich. Und Studer stellte fest, daß der fremde Gast die Lampe mit der linken Hand hielt, während seine Rechte den Kolben eines Miniaturmaschinengewehres umspannte. Noch ein Blitz – und dann, wie Beilschläge auf einen Buchenklotz, fielen die Tropfen auf die Blätter des Ahorns – zu zählen waren sie: fünf, sechs, sieben – wieder Stille – und endlich rauschte der Regen, auf stieg zur Laube der Geruch nassen Staubes und feuchten Holzes; dann dufteten Blumen.

Das Licht flammte auf; der »Chinese« versorgte seine Waffe in der Schublade des Tisches, spülte das Glas, das auf seinem Waschtisch stand und füllte es mit einer gelben, scharfriechenden Flüssigkeit. Auf der Etikette der Flasche hatte sich ein weißes Pferd abgebildet. »Trinken Sie«, sagte der »Chinese«. »Guter Whisky! Sie können Vertrauen zu ihm haben.« Studer leerte das Glas zur Hälfte, dann mußte er husten, was den »Chinesen« zum Lachen brachte. »Stark? Nicht wahr? Ungewohnt? Aber doch besser als... wie sagen Sie... Bätziwasser?« Er nahm Studer das halbvolle Glas aus der Hand, trank es aus und meinte dann: »Jetzt, wir haben getrunken Bruderschaft. ›Bruder-Studer‹ klingt ganz gut, nicht wahr? Du wirst mich rächen, wenn ich einem Mörder zum Opfer falle.«

Der Berner Wachtmeister dachte, daß dieser Herr Farny ein wenig lätz gewickelt sei. Der Kinderreim: ›Bruder-Studer‹ ging ihm auf die Nerven. Außerdem war es unmöglich, sich von einem Unbekannten duzen zu lassen. Wie würde er dastehen, er, der Wachtmeister Studer von der kantonalen Fahndungspolizei, wenn sich dieser Farny James als ein Hochstapler entpuppte? Dann mußte er ihn verhaften, natürlich, und der »Chinese« würde nichts Eiligeres zu tun haben, als dem Untersuchungsrichter mitzuteilen, er stünde mit dem Polizisten, der ihn geschnappt habe, auf Du und Du. Als darum der Fremde das Wasserglas von neuem mit Whisky füllte und es dem Wachtmeister zum Trunke anbot, dankte Studer für die Ehre. Der »Chinese« jedoch ließ sich durch diese Widerborstigkeit nicht stören, sondern meinte trocken:

»Du willst nicht trinken? Bruder-Studer? Dann trinke ich allein.« Und er leerte das Glas. »Aber«, fuhr der »Chinese« fort, »ich will dich doch mit all jenen Menschen bekannt machen, die als meine Mörder in Frage kommen.«

Einen Augenblick dachte Studer daran, an die Waldau zu telephonieren, denn dieser Herr Farny litt offenbar an Verfolgungswahn. Dann ließ er das Projekt jedoch fallen und erklärte sich bereit, dem »Chinesen« zu folgen. Dieser nahm nicht den natürlichen Weg durch die Zimmertür, sondern turnte durch das Fenster auf die Laube hinaus, packte den Wachtmeister beim Arm und zog ihn mit sich. Und Studer stellte erstaunt fest, daß sein Begleiter aufgeregt war; sehr deutlich fühlte er, daß die Finger seines Begleiters zitterten; sie trommelten leise auf dem Leder seiner Joppe.

Krach

Herr James Farny führte den Wachtmeister in einen andern, ziemlich besetzten Raum. Das Zimmer mit dem silbern schimmernden Aluminiumöfeli war wohl der Privatsalon des Wirtes gewesen. In der Gaststube, welche die beiden jetzt betraten, saßen vier Männer, alt, in schmierigen blauen Überkleidern, in der Nähe der Tür um einen Tisch, auf dem eine Zweideziguttere, gefüllt mit einer hellgelben Flüssigkeit, stand. Beim Fenster hockten fünf andere Gestalten, gleich gekleidet, in verschmierte blaue Overalls, und auch vor diesen Männern standen niedere, dickwandige Gläschen...

»Bätziwasser«, sagte Herr Farny verächtlich.

Um einen runden Tisch, in der Mitte des Raumes, saßen fünf junge Burschen in städtischer Kleidung mit unwahrscheinlich bunten Krawatten unter schiefsitzenden Umlegekragen. Einer war unter ihnen, der Studer von Anbeginn an auffiel. Er sah älter aus als seine Genossen. Aus einem magern Gesicht ragte eine spitze Nase, die so lang war, daß sie wie verzeichnet aussah. Die fünf Burschen tranken Bier. Hinter dem Schanktisch hockte die Serviertochter und lismete. Zwei dicke braune Zöpfe lagen um ihren Kopf wie ein merkwürdiger Kranz. Herr Farny steuerte auf den Tisch zu, der neben dem der jungen Burschen stand. Dort trank ein alter Bauer gemütlich ein Zweierli Wein.

»Und, Schranz? Wie geht's?« fragte der »Chinese« den Alten.

»Mhm!« brummte der Alte.

»Was macht Brönnimann?«

»Jasse...« Herr Farny nahm Platz und auch Studer setzte sich. Es war durchaus ungemütlich in dem Raum. Eine Spannung herrschte, deren Ursprung man nicht recht feststellen konnte. Die vier Blaugekleideten an der Tür, die fünf in den schmierigen Überkleidern am Fenster blickten auf die zwei neu Eingetretenen, und ihre Münder waren mit Hohn verschmiert.

Nicht das Gewitter verursachte die Spannung, auch nicht die elegante Kleidung des Herrn Farny. – Deutlich hörte Studer das Wort »Schroterei«, aber er wußte nicht, an welchem Tisch es ausgesprochen worden war.

Übrigens, woher hatten die Leute schon erfahren, daß ein Polizist unter ihnen war? Natürlich! Das Polizeischild am Töff. Aber... Warum fürchteten die Armenhäusler die Polizei? Und warum die städtisch gekleideten Jünglinge mit den schiefen Umlegekragen, die sicher der Gartenbauschule angehörten?

»Kognak!« rief Herr Farny. »Huldi, zwei Kognak! Aber vom Guten!« Die Saaltochter kam schüchtern näher. Auffallend war die Farbe ihrer Gesichtshaut. Es sah aus, als sei die Haut mit Schimmel überzogen.

»G'wüß, Herr Farny!« und »Gärn!« sagte die Tochter.

Aber es gelang ihr nicht, die Bestellung auszuführen, denn plötzlich begannen die vier am Tisch bei der Tür nach der Melodie: »Wir wollen keine Schwaben in der Schweiz!« zu gröhlen: »Wir wollen keine Tschucker uff em Bärg,

Tschucker uff em Bärg, Tschucker uff em Bärg!« Sie standen auf. Der eine nahm die Zweideziguttere, die anderen bewaffneten sich mit den dickwandigen Schnapsgläslein – und so, von zwei Seiten, rückten sie gegen den Tisch des Wachtmeisters vor und sangen dazu ihr blödes Lied.

Der »Chinese« balancierte auf den Hinterbeinen seines Stuhles und seine roten Lederpantoffeln baumelten auf den Zehen. Ihm schien die ganze Sache großen Spaß zu machen.

»Angst, Inspekteur?« fragte er und streichelte die weiche Seidensträhne, die seinen Mundwinkel verdeckte.

Studer hob seine mächtigen Achseln. Als aber auch die Gartenbauschüler sich am Krach beteiligen wollten, als der Bursche mit der verzeichneten Nase eine Bierflasche packte, um sich den Armenhäuslern anzuschließen, sagte James Farny, befehlend, wie man zu einem Hunde spricht:

»Kusch, Äbi!« Der Bursche setzte sich wieder. Studer hockte auf seinem Stuhl, die Beine gespreizt, die Ellbogen auf den Schenkeln, die Hände gefaltet; sein Rücken war rund. Und in Wirklichkeit hatte er auch nichts zu fürchten, denn plötzlich ging die Tür zum Nebenzimmer auf und die vier Jasser erschienen.

Es war merkwürdig, sie – einen nach dem andern – eingerahmt von der Türe zu sehen: Jeder wirkte wie ein Bild für sich.

Herr Hungerlott erschien zuerst und zögerte, bevor er die Schwelle überschritt; der Bocksbart am Kinn machte sein Gesicht spitz.

»Was ist das für ein Krach! Schon wieder schnapsen! Und ich hab's doch streng verboten!«

Die alten Männer mit den schmierigen Überkleidern

drückten sich gegen die Türe – nun stand Herr Hungerlott im Schein der Lampe:

»Ah! Der Herr Wachtmeister!? Wie geht's, wie geht's?«

Studer murmelte etwas Unverständliches.

Eine zweite Gestalt, massig, mit aufgekrempelten Hemdsärmeln über blondbehaarten Armen, stand im Rahmen der Tür und kolderte los:

»Wie oft habe ich schon gesagt, Ihr sollt am Abend nicht in die Wirtschaft kommen? Hä? Könnt Ihr nicht folgen? So, aber jetzt heim! Marsch-marsch!« Das mußte der Direktor der Gartenbauschule sein. Ein dreifaches Kinn sickerte über sein rohseidenes Hemd, auf seinem gewölbten Bäuchlein baumelte eine Kette aus Weißgold und in den Ringfinger der Rechten war der Ehering tief eingegraben.

Die Schüler verschwanden...

Und nun erst erschien der Uralte, gebeugt und keuchend. Er krächzte:

»Was hat es gegeben, Huldi? Hast mich nicht rufen können?« Dann machte ein Hustenanfall seinen Fragen ein Ende. Ihm auf dem Fuße folgte sein Partner beim Jassen, der Bauer Gerber, und so unscheinbar war dieses Männlein, daß niemand ihm Beachtung schenkte.

In dem fast leeren Raume schwebte als einzige Erinnerung an die Armenhäusler der Geruch von Bätziwasser und schlechtem Tabak. Aber auch dieser schwand, als die Serviertochter auf den Befehl des Direktors ein Fenster öffnete: Die vom Gewitterregen gereinigte Luft strömte ins Zimmer...

Und dann geschah ein Wunder. Plötzlich standen auf dem Mitteltisch sechs Gläser aus Kristallglas (Kristallglas in einer kleinen Beize!). Herr Farny schenkte ein und, mit einem Augenzwinkern zum Wachtmeister, stellte er vor:

»Herrn Hungerlott, den Hausvater der Armenanstalt, kennen Sie schon, Herr Inspektor... aber hier, darf ich Ihnen vorstellen: Herr Ernst Sack-Amherd, Direktor der Gartenbauschule Pfründisberg. Weiter: Herr Alfred Schranz, Landwirt; Herr Albert Gerber, Landwirt; die Serviertochter Hulda Nüesch. Und als letzter: unser allverehrter Rudolf Brönnimann, Wirt des Gasthofes ›zur Sonne‹... – Und hier unser Inspektor Jakob Studer... Wir wollen anstoßen!«

Studer erinnerte sich, damals gedacht zu haben, dieser Herr Farny müsse ein ausgezeichnetes Namensgedächtnis haben, denn: er hatte des Wachtmeisters Legitimation nur kurz gesehen und nicht nur an seinen Familiennamen erinnerte er sich, sondern auch an seinen Vornamen. Doch seinen Reim: ›Bruder-Studer‹ hatte er vergessen, denn er duzte seinen Gast nicht mehr...

»Es ist ein Elend«, sprach der Hausvater Hungerlott, »man kann den Leuten das Schnapsen nicht abgewöhnen. Ich möchte Euch bitten, Wachtmeister, das, was Ihr hier gesehen habt, in Bern nicht weiter zu erzählen... Schließlich und endlich, die Leute arbeiten die ganze Woche, am Samstag bekommt jeder ein Fränkli und ein Päckli Tabak. Das muß für die nächstfolgenden acht Tage langen. Was tun die Leute, um ihr Elend zu vergessen?... Kognak ist ihnen zu teuer, darum saufen sie Bätziwasser. Der Pauperismus, Herr Wachtmeister, ist der Aussatz unserer Gesellschaft. Muß ich Ihnen das Wort ›Pauperismus‹ erklären?«

Studer blickte vor sich auf den Tisch. Er hatte einen

nichtssagenden Gesichtsausdruck aufgesetzt, der wie eine Maske wirkte. Jetzt hob er die Augen und sein Blick war leer.

»Pauper«, dozierte der Hausvater, »heißt ›arm‹ auf lateinisch. Der Pauperismus beschäftigt sich mit dem Probleme der Armut. Bei uns kommt natürlich noch die ganze Frage des Fürsorgewesens hinzu, die ebenso kompliziert ist wie...«

»Aber du hescht d'Stöck nid gschrybe, im letschte Gang!« unterbrach hier der Landwirt Gerber. Brönnimann begehrte auf: Woll, er habe sie geschrieben, das sei eine verdammte Lüge... Und Studer sagte, daß er schon lange eine Kanne Benzin verlangt habe, ob es nicht möglich sei, sie endlich zu bekommen?

– Exakt! Der Mann habe Benzin verlangt, unterstützte Gerber des Wachtmeisters Reklamation.

Einen Augenblick herrschte Schweigen. Dann sagte der Direktor der Gartenbauschule, Herr Sack-Amherd: – Ja, es sei auch nicht immer einfach mit den angehenden Gärtnern... meistens hätten die Burschen schon selbständig gearbeitet und keinen Sinn für Disziplin.

»Was soll *ich* aber dann sagen?« mischte der Hausvater Hungerlott sich wieder in das Gespräch. »Alles wird mir zugewiesen, was man nicht gut nach Witzwil, nach Thorberg oder nach Hansen schicken kann. Leute sind darunter, die mindestens zehn Jahre Gefängnis auf dem Buckel haben, beschäftigen muß ich sie, aber Sie sollten die Reklamationen hören, Herr Wachtmeister! – Für nüt müßten sie arbeiten; durch ihre Arbeit könnten die großen Herren ein schönes Leben führen – und dabei, ich will ganz offen zu

Ihnen sein, gelingt es uns nicht einmal, die Unkosten herauszuwirtschaften. Jährlich muß der Staat zum mindesten – ich sage zum mindesten! – zwanzigtausend Franken draufzahlen, sonst würde es mit unserer Abrechnung bös hapern. Ich komme mir bald vor wie ein Reisender, sogar ein Auto habe ich mir angeschafft und muß nun die Kundschaft abklopfen. Die Konkurrenz der andern staatlichen Anstalten! Das ist das Übel! Die Irrenanstalten, die Strafanstalten, sie alle liefern Heimarbeit – und so kommen wir zu dem blöden Zustand, daß eine Anstalt der andern versucht, die Kunden wegzu ...«

»Er hed es Chesseli Benzin welle«, unterbrach der Bauer Gerber. – Er gehe ja schon, er gehe ja schon! keifte der Wirt Brönnimann und humpelte zum Saal hinaus.

Die Zurückbleibenden stießen miteinander an, tranken, schwiegen; dann begann der Direktor der Gartenbauschule, Herr Sack-Amherd, ebenfalls bitter über die Regierung zu klagen: – Früher, ja früher hätten die Bauern revolutioniert, weil man ihnen den Zehnten abverlangt habe. Und heutzutage? Da reklamiere niemand, wenn man zwölf bis vierzehn Prozent Einkommensteuer abladen müsse. Ja: zwölf bis vierzehn Prozent! Das sei nach seiner bescheidenen Ansicht mehr als der Zehnte! Aber wer wage gegen die Übergriffe – die Finanzübergriffe – zu reklamieren? – Niemand! Und warum ...?

In der Tür erschien der Wirt Brönnimann. – Er habe no-n-es Chesseli Benzin uftriebe chönne. Der Wachtmeister solle cho luege, aber e chli pressiere ...!

Zugleich mit Studer erhob sich Herr Farny. Er wolle den Gast noch hinausbegleiten, sagte er. Allgemeines Verabschieden... Der Händedruck des Hausvaters Hungerlott war reichlich klebrig. Es war, als könne er seine Finger gar nicht mehr von Studers Hand lösen. Herr Sack-Amherd verabschiedete sich merklich kürzer und die beiden Bauern, Gerber und Schranz, ließen nur ein undeutliches Murmeln hören. Dann stand Studer unten an den ausgetretenen Stufen. Der Wirt Brönnimann verschwand in einem Schopf, um, wie er sagte, dort Benzin zu holen – und neben dem Wachtmeister blieb allein der »Chinese« zurück.

»Sie haben sie nun alle gesehen, Inspektor«, sagte Herr Farny. »*Fast* alle. Denn soviel ich heute erfahren habe, ist noch ein Bursche im Haus, den ich Ihnen nicht habe vorstellen können. Er fürchtet sich vor der Polizei, verstehen Sie? Aber sonst... Wie gesagt: Es waren fast alle anwesend.«

Herr Farny schwieg einen Augenblick, dann hob er mit einem Ruck den Kopf und blickte dem Wachtmeister in die Augen. Die Lampe, die über der Eingangstüre zur Wirtschaft hing – und über ihr baumelte und glänzte das Schild, das mit feinen strähnigen Strahlen die Sonne darstellen sollte –, beschien die Gesichter der beiden von oben und warf schwarze Flächen auf sie. Der »Chinese« legte seine leichte Greisenhand auf die mächtige Schulter des Wachtmeisters und sagte:

»Sie werden mich also rächen.«

Schweigen...! Der Blick des Fremden senkte sich nicht.

»Rächen!« wiederholte Herr Farny. »Sie werden meinen, Inspektor, das sei kindisch. Vielleicht, Sie haben recht! Aber ich will nicht, daß *er* hat den Triumph.«

»Er?« wiederholte der Wachtmeister fragend. »Welcher er?«

Da lächelte der Fremde und es war ein sehr unbernisches Lächeln. – Ein uneuropäisches fast. »Wer? Wenn ich ihn kennen würde! Ich weiß es nicht. *Sie* werden es herausfinden müssen ... Aber ich vertraue Ihnen. Ich kenne mich aus in Menschen. Ich kann taxieren ohne zu sehen Ihre Schrift, ohne zu wissen Ihr Geburtsdatum. Sie, Inspektor, sind wie ein Schwerölmotor. Es braucht lange, bis Sie eine hohe Tourenzahl erreicht haben, aber dann laufen Sie, dann nehmen Sie jedes Hindernis wie ein Traktor, wie ein Tank ... Ich weiß schon, Sie haben gedacht heut abend, der Farny ist verrückt, er leidet an Verfolgungswahn. Und Sie werden sehen, daß der Farny recht behalten wird. Morgen? Übermorgen? In einem Monat? In zweien? In dreien? Einmal wird er recht haben und dann werden Sie Arbeit bekommen ... Gute Nacht, Inspektor, schlafen Sie wohl. Ich wünsche Ihnen eine gute Fahrt nach Hause.«

Kein Handdruck, kein Geräusch ... Farny James, der »Chinese«, war lautlos verschwunden – die Stufen hinauf? Um die Ecke des Hauses?

Vom Schopf her aber kam hustend und keuchend und spuckend der Wirt Brönnimann und trug eine Fünfliterkanne Benzin. Studer füllte den Behälter auf, zahlte seine Schuld, trat auf den Anlasser und fuhr in die stille Nacht hinein. Einige Gebäude des Weilers Pfründisberg waren noch erleuchtet – er ließ ihre Lichter hinter sich. Die Sommernacht war frisch.

Dies alles war am 18. Juli geschehen.

Und heute schrieb man den 18. November.

Drei Monate hatte der »Chinese« als Höchstfrist für seine Ermordung angegeben. Er hatte einen Monat zu wenig berechnet, denn vier Monate waren seit dem 18. Juli vergangen.

Die drei Atmosphären

Studers Schweigen vor der Leiche des »Chinesen« – wie er den Fremden stets noch bei sich nannte – war wohl so kurz gewesen, daß es seinen Begleitern nicht aufgefallen war. Das Wiedererleben jener Julinacht hatte vielleicht einige Sekunden gedauert. Der Ablauf der Begebenheiten, die sich in ihr abgespielt hatten, war schnell und für Außenstehende unbemerkt vor sich gegangen. Aber der Wachtmeister wollte weder dem alten Dorfarzte von Gampligen, dem die grauen Haare über Ohren und Sammetkragen wucherten, noch dem eleganten Statthalter, dessen auf Taille geschnittener Überzieher sicher sehr wirkungsvoll war, aber wenig Wärme gab, nichts von jener Julinacht erzählen. Darum stellte er scheinbar naiv folgende Frage:

»Wie heißt der Tote und wo hat er gewohnt?« Der Statthalter räusperte sich.

»Ein Fremder«, sagte er, »obwohl er in Gampligen heimatberechtigt war. Als Dreizehnjähriger ist er durchgebrannt und ließ sich als Schiffsjunge anheuern. Später unternahm er alles mögliche – aber soviel ich in Erfahrung bringen konnte, hat er sich besonders in China herumgetrieben. Ich glaube, er besaß sogar das Kapitänspatent. Ursprünglich hieß er mit dem Vornamen Jakob ...« Dies gab Studer einen kleinen Ruck. »... Aber er hat das Jakob anglisieren lassen und sich James genannt. Er wohnte in einem

Zimmer beim Sonnenwirt und niemand wußte, warum er sich dort niedergelassen hatte. Zog ihn die Heimat, das Dorf Gampligen, an? Suchte er nach Verwandten? Die Beantwortung all dieser Fragen wird der Ermordete wohl mit ins Grab nehmen.«

»Und was habe ich Euch gesagt, Wachtmeister? Wird unser Statthalter nicht ein ausgezeichneter Nationalrat werden? Reden kann er, reden! Und was die Hauptsache ist, er lauscht mit Genuß seinem eigenen Geschwätz!«

»Herr Doktor Buff, ich möchte Sie doch sehr bitten ...«

»Bitten Sie nur, bitten Sie nur!«

»Ich weigere mich, auf weitere Insinuationen einzugehen; ich habe meine Pflicht getan und eine kriminalistisch geschulte Person zugezogen... der Rest geht mich nichts an!«

»Sie waschen Ihre Hände in Unschuld, Herr Statthalter Ochsenbein! Natürlich, Pilatus war ja auch ein Statthalter...«

»Aber, meine Herren!... Aber, meine Herren!« Studer segnete nach beiden Seiten mit seinen in Wollhandschuhen steckenden Händen. »Wenn ich mir erlauben dürfte, eine Merkwürdigkeit dieses Falles aufzuzeigen ...«

»Zeigen Sie nur auf, hihi! Zeigen Sie nur auf!« krächzte Doktor Buff.

»... dann wäre es« – Studer ließ sich nicht aus der Ruhe bringen – »die folgende Tatsache: Dieser Fall scheint in drei Atmosphären zu spielen: in einem Dorfwirtshaus, in einer Armenanstalt, in einer Gartenbauschule. Am stärksten scheint die Armenanstalt in diesen Fall hinein verwickelt zu sein... Warum finden wir die Leiche des Ermordeten auf dem Grabe der verstorbenen Frau des Hausvaters Hungerlott?«

»Äbe!... Das verstärkt noch meine Theorie des Selbstmordes«, sagte Doktor Buff weise und kratzte sich die Stirne. »Die Liebe! Sie wissen, Herr Wachtmeister, welche Verheerungen die Liebe imstande ist anzurichten – in den Menschenherzen. Die Frau des Hausvaters war eine schöne Dame... Vielleicht – ich sage vielleicht! – hatte sich der Fremde in sie verliebt... Vielleicht konnte er ihren Tod nicht überstehen und beging Selbstmord...« Das Gesicht des Arztes sah aus wie ein Knäuel von Runzeln.

»Da hört Ihr es selbst, Herr Wachtmeister! Seit einer Stunde gebe ich mir Mühe, diesen Arzt hier zu überzeugen, daß wir es mit einem Mord zu tun haben und was ist seine neueste Entdeckung? – Selbstmord aus Liebesgram!«

Studer hörte dem Gezänk der beiden nicht weiter zu. Er hatte sich über die Leiche gebeugt und begann den Inhalt der Taschen zu prüfen. Aber während er dies tat, konnte er nicht verhindern, daß er mit dem Toten ein stummes Gespräch hielt: »Du bist mir auf die Nerven gegangen, weil du das Reimlein erfunden hast: ›Bruder-Studer‹. Verzeih... Ich hab' dich damals nicht ernst genommen, hab' gedacht, du spielest Komödie oder krankest am Größenwahn. Warum hast du mir nicht alles gesagt? Warum hast du mich nicht gebeten, bei dir zu bleiben? Vielleicht hätt' ich dich schützen können. – Ich will gerne zugeben, ich habe gemeint, du habest zu viel Abenteuerromane gelesen. Ich glaubte, irgendeine ›Späte Rache‹

spuke in deinem Kopfe. Und jetzt hat dich doch einer erschossen. Denn was dieser Doktor erzählt, ist einewäg Chabis. Der geschniegelte Statthalter ist im Recht – genau so im Recht wie du...«

Die Taschen waren leer und daher wandte sich der Wachtmeister an die anwesende Amtsperson, die graue Gamaschen trug.

»Haben Sie die Taschen durchsucht?«

»Nein! Ich habe nur die Wunde gesehen.«

»Ich auch«, krächzte Doktor Buff. »Aber etwas anderes habe ich noch feststellen können: Aus der Waffe, die neben der Rechten des Toten liegt, ist ein Schuß abgefeuert worden.«

Studer reckte sich auf und fragte: »Woher wissen Sie das, Herr Doktor?«

»Sie brauchen nur an der Mündung des Laufes zu schmöcken, Wachtmeister.«

Studer dachte bei sich: »Lieber verlange ich von Bern ein Sanitätsauto und laß die Leiche ins Gerichtsmedizinische bringen, als daß du mir die Sektion machst!« Laut sagte er:

»Ich werde Euch auf dem laufenden halten, Herr Statthalter. Aadiö wou, Herr Doktor!« Er führte zwei Finger zur Krempe seines Hutes und verließ den Friedhof. Als er sich am Tore umwandte, sah er die beiden wieder heftig miteinander streiten, während der uniformierte Landjäger wie eine Statue reglos zu Häupten des Grabes stand. Die drei verbargen die Leiche des »Chinesen«, die auf dem frischen Grabe lag.

Der Nebel war dünner geworden, Sonnenlicht durchsetzte ihn, so daß er wie rohe Seide glänzte...

Angst

Diesmal betrat Studer das richtige Zimmer; er ging an der Türe vorbei, die in den Privatraum des Wirtes führte und sah das mit Aluminiumfarbe bestrichene Öfeli nur in der Erinnerung; dann stand er inmitten der Gaststube. Da hörte er ein Glas zu Boden fallen und zersplittern. Hinter dem Schanktisch bückte sich die Serviertochter Hulda Nüesch, ihre braunen Zöpfe lagen als Kranz um den Kopf und es kam Studer vor, als sei die Haut ihres Gesichtes noch bleicher als in jener fernen Julinacht.

»Was hescht, Huldi?« Keine Antwort.

– Sie solle ihm einen Dreier Roten und eine Portion Hamme bringen.

»Ja... Herr... Herr... Wachtmeister!« Furchtsam drückte sich das Mädchen zur Tür hinaus.

In der Stube roch es nach erkaltetem Stumpenrauch, nach schalem Bier. Umständlich zündete Studer eine Brissago an, zog sein Notizbüchlein aus der Tasche und netzte die Spitze seines Bleistiftes:

»Farny James Jakob«, schrieb er, »geboren am 13. März 1878, heimatberechtigt in Gampligen.«

Einmal nur hatte er diese Daten gesehen, ganz flüchtig, und doch erinnerte er sich ihrer, als ob er die Seite des Passes, auf der sie standen, photographiert in seinem Kopfe trüge. Weiter schrieb er in seiner winzigen Schrift:

»Verwandte des Farny?

Brüder? Schwestern? Nichten?

Warum lag die Leiche auf dem Grab der verstorbenen Frau Hungerlott?

Muß im Pyjama erschossen worden sein! Suchen nach Pyjama!

Telephonieren ans Gerichtsmedizinische...«

Er sah sich im Raume um; hinter dem Schanktisch stand ein Buffet, dessen oberer Teil mit Flaschen gefüllt war. Auf einer Ecke der Marmorplatte stand ein Telephon. Studer drängte sich an der Saaltochter vorbei, die Gläser putzte, stellte die Nummer des Gerichtsmedizinischen Institutes ein und verlangte Dr. Malapelle zu sprechen. Halb in italienischer Sprache, halb in deutscher gab er seine Wünsche kund. Die Leiche eines Erschossenen solle so bald als möglich abgeholt werden, eine Sektion sei notwendig, morgen hoffe er nach Bern zu kommen und die Resultate zu vernehmen. Auf Wiedersehen...

Die Brissago war natürlich ausgegangen. Während er sie von neuem in Brand setzte, blickte Studer durchs Fenster. Ein Hochplateau fiel fünfhundert Meter weiter steil ab, auf der anderen Seite des Tales sah man verschwommen durch den Nebel das herbstlich bunte Laub eines Waldes leuchten, welches abgegrenzt wurde vom dunklen Grün einiger Tannen.

»Hier... hier... Herr Wachtmeister!«

»Märci!«

Studer schenkte sein Glas voll – es war rosaroter Landwein – das Mädchen beeilte sich zu verschwinden und der Uralte betrat das Zimmer.

»Ah!... Der Herr Wachtmeister!... Schmeckt der z'Immis?«

»Mhm.« Studer kaute und beobachtete unter gesenkten Lidern den Wirt Brönnimann. »Ihr habt«, fuhr er fort, »den Toten gefunden?«

»Ich?... Ja... Zufällig!«

»Was seid Ihr suchen gegangen auf dem Friedhof am Morgen? He? Es war doch noch dunkel, oder?«

Er habe e chlys... er habe e paar Schritt ta vors Huus... Wenn man alt werde, sei frische Luft bsunderbar g'sund...

»Und da habt Ihr Euern Gast gesehen? Tot?«

»Ganz tot. Ja, Wachtmeister. Aber agrührt han igen nid!«

»Wer redt denn vo Arühre! Aber hocked doch ab. Ihr stafflet i dr Stube umenand, wie...«

»Äksküseh! Pardon! Wenn's erlaubt ist!« Und dann rief der Uralte: »Huldi! Bring no-n-es Glas!«

Er ließ dem Mädchen keine Ruhe. Nachdem es das Glas gebracht hatte, mußte es springen und einen halben Liter bringen. Der Wirt stieß mit dem Wachtmeister an, wünschte »G'sundheit!« und sein ganzes Gehaben wirkte unecht. Nie kam es vor, daß Brönnimann dem Wachtmeister in die Augen sah – die Blicke des Uralten waren immer zu Boden gesenkt, der Wirt litt an schwerem Atem, er keuchte und knorzte und seine Rede war unterbrochen von Hustenanfällen.

»Ja, Wachtmeister, wenn Ihr auf mich lose würdet! Aber ein alter Mann wie ich – was hat der schon zu sagen! – khäkhäkhä –. Ja. Er war ein lieber Gast, der Farny, immer ruhig, immer still – lautlos wie-n-es Müüsli... Ja! Khäkhäkhä... Und trotzdem ist er ermordet worden.« Husten. Dann:

– Wenn er nur reden könnte! meinte der Wirt, aber man sage ja immer: Vorsicht sei die Mutter der Weisheit... »Khäkhäkhä...« Noble Leute kämen oft zu ihm, der Hausvater der Armenanstalt, der Direktor der Gartenbauschule, Großräte, Regierungsräte... Nämlich, wenn sie die Anstalten besuchen kämen. »Khäkhäkhä!« Und mit noblen Leuten sei nicht gut Kirschen essen...

»Kennt Ihr Verwandte des Toten?« fragte Studer. Er hatte ein Stück Hammen auf die Gabel gespießt und betrachtete es kritisch.

»Verwandte? Ja, von Verwandten könnt ich Euch mänges verzelle! Aber wisset, Wachtmeister, da muß man vorsichtig sein, me cha sich wüescht d'Zunge verbrönne... Wenn ich Euch verzelle würd, was alles gseit worde-n-isch bym Tod vo der Anna...«

»Der Anna Hungerlott? Der Frau vom Hausvater? Wie hat sie geheißen mit dem Mädchennamen?«

»Eh Äbi...«

»Äbi?« Studer steckte den aufgespießten Schinken in den Mund, kaute und dachte nach. Äbi? Den Namen hatte er schon einmal gehört. Wann nur? Die Julinacht fiel ihm wieder ein und dann zwei Worte des nun toten Farny James: »Kusch, Äbi!« hatte der »Chinese« zu einem der Gartenbauschüler gesagt.

»War die Anna mit einem Pfründisberger verwandt?«

Brönnimann nickte, nickte. – Ihr Bruder habe einen Jahreskurs in der Schule absolutiert. Studer lächelte: Jaja, die Fremdwörter! Aber schließlich blieb es sich gleich: Absolviert oder absolutiert – der Unterschied war nicht groß, wichtig war nur, daß man sich verstand.

»Loset Brönnimann, habt Ihr letzte Nacht nichts gehört?«

Schweigen. Dann ein kleiner Schrei – der Laut kam vom Schanktisch her. Nun drehte sich der Uralte um und schnauzte die Serviertochter an:

»Geh an deine Arbeit, Meitschi!« Dann wandte er sich wieder seinem Gaste zu und seine Augen waren blau, wie die Flamme eines Spritbrenners.

»Ja, Wachtmeister«, fuhr er fort. »Es ist ein Elend heutzutage mit den Diensten!«

»Ich hab Euch gefragt, ob Ihr keinen Schuß gehört habt...«

»Einen Schuß?« wiederholte der Alte. – Es syg ihm so gsy, so um die halbi drü... Da häb es en Chlapf gä, aber dann sei ein Töff unter dem Fenster vorbeigefahren und es könne gut möglich sein, daß der Chlapf von dem Töff gekommen sei... Eine Explosion vom Motor oder so öppis...

Hinter dem Schanktisch sagte eine Stimme:

»Und es isch doch e Schuß gsy, Brönnimaa!«

– Das Meitschi solle sich um seine eigenen Angelegenheiten kümmern, begehrte der Alte auf – aber Studer netzte die Spitze seines Bleistifts und machte eine neue Eintragung in sein Notizbüchlein...

»Um halb drei also?« fragte der Wachtmeister. »Wer war gestern abend bei Euch?«

»Oh... Khäkhäkhä... Der Hausvater Hungerlott, der Direktor Sack-Amherd, der Gerber... Wir haben gejaßt... Und dann zwei oder drei Schüler...« Der Alte schwieg.

»Sonst niemand?« wollte Studer wissen. Wieder kam die Antwort hinter dem Schanktisch hervor:

– Es seien noch zwei gewesen; und: warum der Wirt die Namen dieser beiden nicht nennen wolle?

– Das Meitschi solle schwyge! Es sei nicht gut, wenn man zuviel rede. Studer aber beschloß, das Mädchen bei der nächsten Gelegenheiten auszuholen. Vorläufig beschränkte er sich auf die Frage:

»Säg Brönnimaa... Warum hescht du Angscht?«

Ein Hustenanfall war die Antwort. Und dann stotterte der Wirt:

»Ig? Wachtmeister, ig Angscht?«

»Ja, du!« sagte Studer trocken und deutete mit seinem Zeigefinger auf die hohle Brust des Alten. Wie verschieden doch die Menschen waren! Die einen mußte man ihren, die anderen siezen – und schließlich gab es solche, die erst auspackten, wenn man sie duzte...

– Er habe doch keine Angst, protestierte der Wirt. Das wäre ja lächerlich. Angst haben!... Und dann stand der Uralte auf, trippelte zur Tür, riß sie auf und schmetterte sie von draußen zu...

Der Gebrauch des familiären Du hatte seine Wirkung verfehlt. Studer stand auf.

»Komm, Huldi!« sagte er. »Zeig mir das Zimmer des Toten.«

»Aber gället, Wachtmeister, Ihr verhaftet ihn nicht?«

Aha! Es war also jemand im Haus, der kein gutes Gewissen hatte... Nicht der Wirt – die Saaltochter hätte ihn sicher gern einsperren lassen – nein, ein anderer... Wer? Etwa derjenige, von dem der »Chinese« an jenem Juliabend gesprochen hatte? »Denn soviel ich heute erfahren habe, ist noch ein Bursche im Haus, den ich Ihnen nicht habe vorstellen können ...« Merkwürdig, wie gut man sich noch an den Satz erinnerte ... Studer tat, als habe er das Mädchen mißverstanden:

»Neinei, Meitschi! Tote verhaft' ich nicht!«

»Eh, Ihr wissed scho, Wachtmeister, wen ich meine ...«

»Ich? Ich weiß gar nüd! ...«

Huldi Nüesch, die ihre braunen Zöpfe wie Kränze um den Kopf trug, ging voran. Studer folgte. Es ging durch einen Gang, der mit roten Fliesen belegt war – weißer Sand war darüber gestreut. – Die Serviertochter öffnete eine Türe links; dann traten beide ins Zimmer des toten »Chinesen«.

»Finger ab de Röschti!«

Der Wachtmeister müsse entschuldigen, sagte Huldi –. Bei all dem Gestürm sei sie nicht dazugekommen, das Zimmer zu machen.

Studer pflanzte sich mitten im Raume auf, vergrub die Hände in den Taschen seines Überziehers, blickte um sich und meinte, er sei froh, daß nichts angerührt worden sei...

Das Bett sah aus, als habe ein Kampf auf ihm stattgefunden. Die Leintücher, die Wolldecke lagen auf dem Boden. Die Flügel des Fensters waren geschlossen. Ein Koffer, der mit den Etiketten vieler Hotels aus allen Ländern der Erde beklebt war, stand in der Mitte des Zimmers; aber er war leer.

Auch auf der Tischplatte lag nichts; Studer suchte im Schaft, im Nachttisch, unter der Matratze. – Die Wachstuchhefte, an die er sich gut erinnerte, waren verschwunden.

Warum hatte man diese Hefte gestohlen? Was enthielten sie Wichtiges?

»Huldi«, fragte der Wachtmeister sanft, »du erinnerst dich doch an die Hefte, in die der Farny geschrieben hat? Hast du einmal in einem gelesen und weißt du, was drinnen gestanden ist?«

Das Mädchen nickte, nickte... und dann sagte es im Tonfall, in dem man eine auswendig gelernte Lektion aufsagt: »Als wir 1912 Hongkong verließen, gerieten wir in einen Taifun. Wir hatten Reis geladen für Bangkok und Kulis für Sumatra. Ich gab meinem ersten Offizier die Weisung, die Kulis unter Deck in einem Raume einzuschließen ...«

»Das langt«, sagte Studer. »An etwas anderes erinnerst du dich nicht?«

»Das Heft, in das er zuletzt geschrieben hat, ließ er nie offen herumliegen, sondern schloß es immer in seinen Koffer ein. Aber einmal hab ich doch einen Blick darein werfen können und da las ich: ›Wen Gott strafen will, dem schenkt er Verwandte.‹«

»Hat der Satz genau so gelautet?« fragte Studer. Die Serviertochter nickte.

Und während ihres Nickens zersplitterte eine Scheibe des Fensters.

»Was ist denn das?« fragte Studer. 's Huldi trat ans Fenster, riß die Flügel auf und blickte in den nebligen Nachmittag. – Sie sehe nichts, behauptete sie. Wütend packte der Wachtmeister sie am Arm und riß sie zurück. – Einer habe ins Zimmer geschossen, erklärte er böse und rückte das Meitschi auf einen Stuhl; dort saß es dann, hatte die Ellbogen auf den Tisch gestützt und das Gesicht in die Hände vergraben.

»G'schosse?« fragte es. »G'schosse!«

»Ja, g'schosse!« bestätigte Studer ungeduldig. Er lief im Zimmer her und hin, die Blicke auf den Boden gerichtet, suchte – und fand nichts. Er bückte sich endlich und entdeckte unter dem Bett eine Bleikugel; er nahm sie in die Hand, sie war rund wie ein Globus, aber statt des Äquators hatte jemand in das Blei eine Rinne eingeschnitten und in sie einen zusammengefalteten Papierstreifen geklemmt. Sorgfältig zog ihn der Wachtmeister aus dieser Rinne und las den Satz, der darauf getippt war:

`Finger ab de Röschti!`

Studer verzog das Gesicht, schüttelte das Haupt und murmelte: »Chabis!«

Aber dieses Wort schien doch nicht seine letzten Gedanken über den Vorfall wiederzugeben, denn der Wachtmeister behielt den Papierstreifen in der Hand, brummte ein paarmal: »Finger ab de Röschti!«

Es war klar: Mit einem Karabiner, oder auch nur mit einem Luftgewehr, war diese Kugel nicht in das Zimmer geschossen worden. Vieles sprach dagegen.

Der Papierstreifen, der in den Äquator der Bleikugel geklemmt worden war, hätte ein Abschießen verunmöglicht.

Was kam noch als Waffe in Betracht?

Einzig eine jener Schleudern, wie er sie als Fisel zum Spatzenschießen verwendet hatte ... Eine Gabel, aus Holz oder Metall, an ihren beiden Enden sind Kautschukschnüre angebracht, rechteckig im Durchschnitt, zusammengehalten an ihrem andern Ende, von einem Lederstück: In dieses wird die Kugel, der Stein, kurz das Wurfgeschoß gelegt, mit Daumen und Zeigefinger der Rechten festgehalten, während die Linke die Gabel hält; Daumen und Zeigefinger der Rechten ziehen die Gummischnüre, durch die Öffnung der Gabel wird gezielt – die Rechte läßt den Lederplätz los, das Geschoß fliegt davon und trifft einen Spatzen oder eine

Fensterscheibe ... Heute war es eine Fensterscheibe und das Geschoß enthielt eine getippte Warnung.

Wer fühlte sich bemüßigt, dem Wachtmeister Studer eine Warnung zukommen zu lassen? Erstens: War sie ernst gemeint? – Wohl kaum, sonst hätte der »Schütze« nicht eine mundartliche Form der Warnung verwendet. Einem, den man erschießen will, schreibt man nicht zuerst: »Finger ab de Röschti«. Wenn aber, und dies konnte die zweite Hypothese sein, gerade die Dialektform der Warnung das Mißtrauen des Empfängers einschläfern sollte? ... Item, es empfahl sich, vorsichtig zu sein.

Blinder Passagier

Der Nebel war wohl daran schuld, daß die Dämmerung so eilig über das Land sank. Studer knipste das Licht an und zog den Vorhang vors Fenster. Die Serviertochter saß immer noch vor dem leeren Tisch, das Kinn in die Höhlung ihrer Hände gebettet, aber als der Wachtmeister das Mädchen genauer betrachtete, sah er, daß dicke Tränen ihm über die Wangen liefen. Und ein Satz kam ihm in den Sinn, ein Satz, der eher eine Frage war: »Gälled, Ihr verhaftet ihn nid, Herr Wachtmeister!«

Das Zimmer des James Farny war reichlich möbliert, es befanden sich in ihm wenigstens zwei Stühle. Und da 's Huldi auf dem einen saß, nahm er den andern, schwang ihn zu sich herüber, setzte sich rittlings auf ihn, legte die Unterarme auf die Lehne und das Kinn auf die gefalteten Hände.

»Wo fehlt's, Meitschi?« fragte er.

Das stumme Weinen ging in ein lautes Schluchzen über: »Der Lu ... der Ludwig, Herr Wachtmeister!«

»Was ist mit dem Ludwig, und wo ist er?«

»In mym ... mym Zimmer!«

»Du machscht ja schöni Sache!« meinte Studer. »Wart' hier auf mich, ich will den Ludwig holen gehen.« Er verließ das Zimmer und war eigentlich erstaunt, den alten Wirt nicht hinter der Türe beim Lauschen zu ertappen. So stieg Studer in den ersten Stock – leere Kammern –, stieg höher, gelangte unters Dach. Das Zimmer der Serviertochter war nicht schwer zu finden. Auf den Schwellen der andern Zimmer lag Staub – eine Schwelle jedoch warf das rötliche Licht der Kohlenfadenlampe zurück. Studer klopfte. Keine Antwort... Er drückte auf die Klinke und öffnete die Tür.

Links vom Fenster ein Bett, auf den Sprungfedern eine Decke. Rechts eine Matratze auf dem Boden. Ein Bursche, dessen Kopf in den gefalteten Händen lag, sprang auf und starrte den Wachtmeister an. Seine Haare waren gelb wie Roggenstroh und seine Augen von so dunklem Blau, daß sie gar nicht an eine Spritflamme erinnerten, sondern eher an einen Bergsee... Der Anzug aus Halbleinen verrumpfelt... Und sicher hatte sich der Bursche seit drei Tagen nicht rasiert.

Studer nickte befriedigt, denn das Zimmer bewies deutlich, daß alles in Ehren zugegangen war. Da wurden stets große Sprüche gemacht, in denen von der Unmoral der heutigen Jugend geredet wurde – und hier? Hier hatte eine Serviertochter auf den Sprungfedern geschlafen, um ihrem Freunde mit einer Matratze aushelfen zu können. Ein kleines Lächeln brachte Studers Schnurrbart zum Zittern: Sogar die Leintücher hatten die beiden geteilt – das Meitschi eins, der Bub eins – und auch die Decken... Das Mädchen hatte unter dem Federbett gefroren und der Bursche unter der Wolldecke und unter seinem schäbigen Mantel...

»Wie heißest?«

»Ludwig Farny.«

»Bist verwandt mit dem Toten?«

»Dem Toten?«

»Ja, weißt du denn nicht, daß der Chine… will sagen: der James Farny gestorben ist?«

»Der Onkel Jakob?«

Studer verzog das Gesicht. Warum nur hatte der »Chinese« den gleichen Vornamen getragen wie ein Berner Fahnderwachtmeister?

»Ja, der Onkel Jakob!«

»Gestorben? Der Onkel Jakob? Was Ihr nicht sagt… Er war gut zu mir… Und ich hab' sonst niemanden gehabt!«

»Wo hast du gelebt?«

»Im Thurgau.«

»Komm jetzt mit!«

»Gärn, Herr Studer…«

»Kennst mich?… Kennst mich schon lang?«

Ludwig schwieg, seine Augen waren weit aufgerissen. Der Wachtmeister drehte das Licht ab und trat hinaus auf den Gang. Der Bursche folgte ihm.

Unten im Gang begegneten die beiden dem Wirte. Studer sagte:

»Ich hab' dir da einen neuen Gast, Brönnimaa. Laß noch ein Bett in mein Zimmer stellen, ins Zimmer vom Farny, verstanden? Und laß eine Scheibe einsetzen – ich hab' eine zerbrochen…«

»Im Zimmer vom Toten? Im Zimmer vom Toten? Wird nid sy!«

»Wouwou! Und der hat auch keine Angst. Gäll, Ludwig?«

»Nenei!«

Brönnimann hustete, dann wischte er sich mit einem

Nastuch die entzündeten Augen und starrte auf den Burschen. Er sagte verächtlich:

»Was wollt Ihr mit einem Armenhüüsler, Wachtmeister?«

Ludwig Farny wurde rot und ballte die Fäuste: Studer packte ihn am Arm und schob ihn ins Zimmer. »Ruhig, Bürschli!« sagte er leise. »Laß den alten Beizer nur reden.«

– Er habe gemeint – und er wandte sich an die Serviertochter –, es sei bequemer, wenn der Ludwig mit ihm zusammen schlafe. Denn es sei ungesund auf Stahlfedern zu liegen. Man könne sich bös erkälten. Während er sprach, beobachtete Studer das Mädchen und sah, daß es rot wurde. Er fand, diese Farbe stehe der Bleichen gut ...

»Ludwig!« rief 's Huldi.

Nun wurde auch der Bursche rot und sein Gesicht drückte Verlegenheit aus.

»Äh jaa!« meinte Studer. – Und: was denn dabei sei? »Ich hab' ihn gefunden, ich behalt ihn bei mir, denn ich brauch ihn. Basta!«

»Aber, Herr Studer! Wisset Ihr denn nicht, daß der Ludwig in der vergangenen Nacht, erst gegen Morgen, an mein Fenster gedoppelt hat? Steine hat er geworfen ... Gerade in der Nacht, in der unser Gast erschossen worden ist.«

Ludwig senkte den Kopf. – Ja, das stimme. Aber was denn dabei sei? fragte er. Und leise fügte er hinzu: – Vom Morde wisse er nichts, aber auch gar nichts!

»Darüber reden wir später«, sagte Studer. »Laß uns jetzt allein, Meitschi! Wir haben z'brichte ... Gäll, Ludwig?«

»Sowieso, Herr Studer!«

»Setz dich aufs Bett. Ich muß noch etwas suchen.« Ludwig gehorchte schweigend.

Studer nahm die Wäsche aus dem Schrank – fünf rohseidene Pyjamas, sechs elegante Hemden, ein Dutzend seidener Krawatten, Unterwäsche, wollene und seidene Socken, Nastücher. Die Hausjoppe aus Kamelhaar hing über einem Bügel, neben ihr waren zwei graue Anzüge mit der eingenähten Etikette eines englischen Schneiders zu sehen, und endlich ein pelzgefütterter Wintermantel. All diese Kleidungsstücke legte Studer sorgfältig auf den Tisch und begann ihre Taschen zu durchsuchen. In der Seitentasche der Hausjoppe fand er einen Brief. Er lautete folgendermaßen:

»Amriswil, den 15. Oktober.

Mein Lieber! Gönner und Helfer!

Wie geht es Euch und was macht Ihr immer? Ich hoffe, daß bei Euch stehte Gesundheit und das schöne Wohlsein herrscht. Was bei mir auch ist! Jetzt will ich Euch schreiben, wie es mir gegangen ist bis hierher. Von Gamplingen aus ging ich nach Zürich. Dort blieb ich bis am andern Mittwoch und suchte mir Arbeit. Vergeblich. Ich war genöhtigt, auf den 1. August nach Herisau zu gehen. Dort blieb ich nur 14 Tage. Es war ein Egoist wie kein zweiter. Nachher kam ich nach Amriswil, das war was anders. Ich habe jetzt 13 St. Vieh zu besorgen. 70 Fr. im Sommer, 60 Fr. im Winter und Arbeit in Hühle und Fühle. Dieser Sommer konnte ich das Traktorfahren lehren. Da muß man nicht immer jagen, sondern nur auf den Hebel drücken, aber aufgepaßt heißt es, was mann macht, sonst steht es still oder geht zu schnell, aber schön ist es am Steuerrad zu sitzen. Bin viel mit Maschine oder Wagen allein auf die Matten gefahren und große Stüke gekehrt. Wir betreiben auch Gemüsebau. Da weiß man auch was tun. Und noch etwas, hoffentlich werden mir die Hufeisen, die ich unter der Linde ausgegraben habe, ›Glück bringen‹, denn ich habe mir erlaubt, ein paar Lose zu kaufen, will sehen, ob mir das Glück einmal blüt, sonst weiß ich nichts mehr zu schreiben.

Also auf Wiedersehen, lieber Onkel und Gönner. Mit den herzlichsten Grüßen schließt

Euer Ludwig.

Wenn Ihr mich braucht, dann schreibt nur nach Amriswil.«

Drei Seiten waren beschrieben. Auf die vierte und letzte Seite hatte das Bürschlein seine Adresse gemalt:

»Herrn Ludwig Farny,
Knecht,
Amriswil, Kt. Thurgau Switzerland
Europa.«

Studer saß da in seiner Lieblingsstellung, die Ellbogen auf den gespreizten Schenkeln und hielt den Brief in der Hand... Selbstverständlich: Nicht jeder Mensch konnte wissen, daß Amriswil im Kanton Thurgau lag, im Ausland war es auch eine wenig bekannte Tatsache, daß der Kanton Thurgau zur Schweiz gehörte und – sicher ist sicher – wenn man einen Onkel besaß, der gerne viel reiste, so empfahl es sich, anzugeben, daß Switzerland zu Europa gehörte. Das kleine Lächeln, das des Wachtmeisters Mundwinkel auseinanderzog, konnte das Knechtlein nicht sehen. Aber von diesem Briefe wehte den Wachtmeister eine Ehrlichkeit, eine Redlichkeit an, die wohltat. Wenn ihn sein Gefühl nicht trog, so durfte Studer den Ludwig Farny, Knecht in Amriswil, als Mörder ausschalten. Übrigens, man konnte ja die Probe aufs Exempel machen...

»Ludwig!« rief Studer. Und als der Bursche näher kam, hielt er ihm den Brief unter die Nase. »Hast du das geschrieben?« Das Knechtlein hatte eine merkwürdige Art zu erröten. Zuerst stieg eine Blutwelle seinen Hals hinauf, überflutete Kinn, Backen und Schläfen. Endlich erreichte die Röte auch die Stirne – und nun sah das Gesicht aus wie eines jener sonderbar geformten Schalentiere, die im Meere wimmeln und eine purpurne Farbe annehmen, sobald man sie ins heiße Wasser wirft...

»Ja... ich hab ihm geschrieben... ist etwas dabei?«

»Nein... wo denkst du hin... aber, hat dir dein Onkel geantwortet auf diesen Brief?«

»Deich wou!«

»Zeig mir den Brief!«

Sie hatten alle die gleiche Gewohnheit, die Knechtlein, die wenig Geld besaßen... Sie trugen die Brieftasche nicht, wie andere elegante Herren, in der Busentasche des Kittels, sondern im Futter des Gilets, ganz innen über dem Herzen. Darum dauerte es auch einige Zeit, bis Ludwig Farny seine verschiedenen Kleidungsstücke aufgeknöpft hatte – nun kam die abgegriffene Brieftasche zum Vorschein, die wohl in einem Handel erstanden worden war. – Aus einem ihrer Fächer zog Ludwig die Antwort des Onkels:

Pfründisberg, den 15. November.

Mein lieber Ludwig!

Ich komme erste heute dazu, Deinen Brief zu beantworten. Es wäre gut, wenn Du *sogleich* Deine Stelle in Amriswil aufgeben und zu mir kommen würdest. Ich brauche Dich. Warum – erkläre ich Dir hier. Ich denke, Du wirst genug Reisegeld haben. Ich erwarte Dich also spätetens am 18. – Du wirst dann bei mir wohnen. Soviel ich gemerkt habe, trachtet man mir nach dem Leben. Zu Dir habe ich Vertrauen.

Mit herzlichen Grüßen

Dein Onkel James.

»Hm!« machte Studer und legte die Briefe nebeneinander auf den Tisch. »Am 16. hat dein Onkel geschrieben. Wann hast Du den Brief bekommen?«

»Der Meister hat ihn mir erst am 17. gegeben, beim z'Mittag. Ich hab' ein paar Sachen mitgenommen und bin losgezogen. Am 17. abends war ich in Bern. Dort habe ich einen Freund. Der hat mir sein Velo gelehnt, und ich bin in der Nacht noch weitergefahren, aber es war doch schon 3 Uhr morgens, als ich in Pfründisberg ankam. Auf der Straße ist mir einer begegnet – wie der Teufel ist er gefahren auf seinem Töff. Einen Augenblick hab' ich gemeint, daß ich ihn kenne, aber dann war's doch nicht der, den ich gemeint habe. 's Huldi hat mir dann aufgemacht, weil ich Steine an ihr Fenster geworfen hab' und dann konnte ich in ihrem Zimmer schlafen. – In allen Ehren ...«

»Versteht sich, versteht sich – in allen Ehren!«

»Jetzt meint's Huldi natürlich, ich hätt' den Onkel umgebracht – wahrscheinlich, weil ich angekommen bin, gleich, nachdem es den Schuß gehört hat. Ich bin froh, Herr Studer, daß ich mit Euch hab' reden können.«

»Reden können! Reden können!« brummte Studer. »Glaubst du vielleicht, Ludwig, ich hab dich nicht wieder erkannt? Wann ist's gewesen, daß ich dich eingeliefert hab' in Pfründisberg? Vor drei Jahren, vor zwei Jahren?« Studer hatte die Hände gefaltet und blickte zu Boden. Durch die zersplitterte Scheibe sickerte kalte Luft ins Zimmer. »Sag dem Huldi, es soll heizen kommen und dann bring einen Topf mit Kleister mit, so können wir das Fenster vermachen. Nachher kannst du mir deine Geschichte erzählen.«

Die Geschichte von der Barbara

Die zerbrochene Scheibe war notdürftig gemacht worden, das Öfeli zog nicht schlecht – in ihm knackte das Holz. Studer blickte auf seine Uhr – erst halb sechs. In einer Stunde wollte er dem Hausvater Hungerlott einen Besuch abstatten.

»Erzähl, Ludwig!« sagte Studer, nachdem er dem andern eine Brissago angeboten hatte. Das Knechtlein und der Fahnderwachtmeister rauchten um die Wette.

Es war eine einfache Geschichte. Der Ludwig hatte seinen Vater nie gekannt und war darum auf den Namen seiner Mutter getauft worden. Seine Mutter wieder hatte, als das Büblein sechs Jahre alt war, einen Maurer namens Äbi zum Manne genommen. Zwei Kinder gingen aus dieser Ehe hervor, ein Mädchen Anna, das später den Hausvater Hungerlott heiratete, ein Knabe Ernst, der zurzeit den Jahreskurs der Gartenbauschule Pfründisberg absolvierte – »absolvierte!« sagte Ludwig Farny, und nicht absolutierte –.

»Der Stiefvater wollte mich nicht daheim, da gab mich die Mutter zu Verwandten aufs Land, zu zwei alten Jungfern. Sie waren beide bei der Heilsarmee, die Martha und die Erika, und ich mußte am Sonntag mit in die Versammlung gehen. Dann aber wurde die Erika krank, ich weiß nicht, ob Ihr das kennt, es war keine körperliche Krankheit, die Erika hat nicht mehr reden wollen und ist schweigsam im Haus herumgeschlichen. Einmal sind ein paar Weiber sie holen gekommen; es hat geheißen, sie habe sich im Walde aufhängen wollen. Dann hat die Mutter nicht gewollt, daß ich noch länger bei der Martha bleibe und ich bin zu einem Bauer gekommen als Verdingbub... Geißen hüten. Stall misten. Am Sonntag ging der Bauer ins Wirtshaus, und da er keine Kinder hatte, prügelte er mich, wenn er heimkam. Ich glaube«, ein leichtes Lächeln entstand um Ludwigs Mund, »der Bauer hätte ganz gern seine Frau verprügelt, aber die war stärker als er und so hat er sich hinter mich gemacht. Es ist nicht schön, Herr Studer, wenn man jeden Sonntag verprügelt wird und auch in der Woche, wenn man keine Freude hat das Jahr durch und die Mutter nicht einmal an Weihnachten kommt. Dann wurde ich zwölf Jahre alt. Ich hatte Hunger. Ich nahm da ein Stück Käse, dort ein Stück Fleisch – einfach weil ich Hunger hatte. Ich glaub', der Bauer hätte nichts gesagt – er war froh, daß jemand da war, den er prügeln konnte. Aber die Frau hat mich beim Gemeindepräsidenten angezeigt, ihr Geiz trieb sie dazu und so hat man mich in die Korrektionsanstalt versenkt. Das war auch nicht schön, Herr Studer, Ihr könnt mir's glauben. Später hab' ich viel Zeitungen gelesen und einmal habe ich eine Illustrierte gefunden, in der unsere Anstalt abgebildet war. In der Illustrierten haben wir ganz schön ausgesehen, aber viel Rechtes habe ich in der Anstalt nicht gelernt. Sie haben alle gesagt, die Meister und der Direktor, ich sei zu dumm und dabei bin ich wirklich nicht apartig dumm, Herr Studer... Ich weiß, ich mache Fehler beim Schreiben, aber schließlich, Fehler beim Schreiben zu machen ist doch keine Sünde, oder? So hab' ich im Landwirtschaftsbetrieb mithelfen müssen. Mir hat es gefallen. Die Tiere mag ich gern, die Kühe, die Geißen, die Rosse. Dann haben sie mich endlich entlassen und ich suchte mir eine Stelle. Glaubt mir, Herr Studer, ich wollte nicht hoch hinaus: Mein Löhnli haben und meine Arbeit, sonst nichts, aber dann bin ich krank geworden – im Winter einmal – und es hat sich auf die Lunge geschlagen. Ich hab' Blut gespuckt, war immer müd', schwitzte in der Nacht – da hat mich der Doktor in eine Heilstätte geschickt. Zwei Jahre lang! Und wie ich zurückkam, hatte ich alles verlernt. Bei einem Bauern versuchte ich zu arbeiten, der jagte mich nach zwei Tagen: ich könne ja nichts!

Da hat mich die Regierung nach Pfründisberg getan, in die Armenanstalt. Wißt Ihr, manchmal hab' ich gemeint, das sei ärger als Gefängnis. Der Direktor, vielmehr der Hausvater – er kann b'sunderbar guet Vorträg halte über Pau... Pau...«

»Pauperismus«, unterbrach Studer.

»Exakt! Pauperismus! Und dabei ist doch das einzige, was man hier lernt: Schnapsen...«

Es lag etwas Quälendes in dieser einfachen Art des Erzählens und Studer hatte ein weiches Herz. Er fühlte, wie Schweißperlen ihm über die Wangen rannen und gab dem überhitzten Öfeli die Schuld. Einen Augenblick nur – dann wußte er, daß es die Geschichte des Ludwig war, die ihm Wasser in das Gesicht trieb. »Geht es noch lang?« fragte er heiser. »Ich mein', deine Geschichte.«

»Nein, Herr Studer...« – Was doch der Bursche für eine sanfte Stimme hatte! – »Ich möcht' Euch nur noch die Geschichte von der Barbara erzählen. Die Barbara hinkte.

Sonst sah sie dem Huldi ähnlich. Auch so ein großes Gesicht, wißt Ihr und so eine blasse Hautfarbe und so lange braune Zöpfe. Die Barbara war auch im Armenhaus, ich traf sie nur am Sonntag, da gingen wir zusammen im Wald spazieren und sie erzählte mir von daheim, wo sie es auch nicht schön gehabt hatte. An einem Sonntagabend begegneten wir auf dem Heimweg einer Wärterin und da sagte die Barbara, jetzt wolle sie nicht mehr heimgehen in die Anstalt, denn alle würden sie sonst föppeln, weil sie mit mir gegangen sei. Ich versuchte sie zu beruhigen, aber es war alles umsonst... und Ihr wißt ja, es gibt ein Sprichwort: Man muß die Suppe auslöffeln, die man sich eingebrockt hat. Wie ich gesehen hab', daß die Barbara nicht mehr in die Anstalt zurück will, sind wir zusammen fort. Es war 6 Uhr abends. Am 3. Juni. Ich weiß das noch so gut, weil wir das Auto des Hausvaters trafen, aber er erkannte uns nicht, sondern fuhr an uns vorbei. Wir wanderten und wanderten. Manchmal konnte die Barbara nicht laufen, dann trug ich sie... Wir kamen in den Jura, in den welschen, und da waren die Bauern besser. Ich fand Arbeit, denn auf den Bergen fängt der Heuet erst Mitte Juli an. Immer ging ich zuerst mich allein vorstellen, arbeitete einen Tag und erzählte dann, meine Frau sei bei mir. Da sagten manche von den Bauern, ich solle sie nur bringen, sie könne im Hause helfen... Die Barbara war ein schaffiges Meitschi und manchmal blieben wir acht Tage am gleichen Orte...

Aber wir hatten keine Papiere und ohne Papiere seid Ihr verkauft auf dieser Welt. Nicht auf die Menschen schaut man und ob sie schaffen und ob sie ehrlich sind, man schaut darauf, daß sie ein braunes Büechli haben mit Photi, mit Stempeln und Unterschriften...

Und der Herbst ist gekommen; – er kommt schnell in den Bergen. Da haben wir's so gemacht: Sobald die Weiden schnittreif waren, hab' ich sie gesammelt und wir flochten Körbe, die Barbara und ich, und verkauften sie in den Dörfern. Gewöhnlich ging ich, denn die Barbara konnte ja nicht laufen. Sie blieb daheim... daheim! Eine Holzfällerhütte mitten im Wald... Den Sommer hindurch haben wir gespart, so konnten wir Kessel anschaffen und Decken für den Winter; Holz hatten wir genug und ganz nah an unserer Hütte floß ein Bach vorbei. Die Hütte war immer sauber und wir haben gelebt, Herr Studer, wie Mann und Frau.

Aber im Horner ist die Barbara krank geworden – und die Krankheit hab' ich gekannt. Sie hat geschwitzt in der Nacht, sie hat gehustet und Blut gespuckt. Ich hab' sie gepflegt, so gut ich's konnte; wir haben auf Tannenkries geschlafen, aber es hat alles nichts genützt. Ende April ist sie dann gestorben.

Wohin hätt' ich gehen sollen? Es war mir alles verleidet! So hab ich mir gedacht: du gehst nach Pfründisberg zurück. Ich hab' mich nicht beeilt, hier und dort geschafft und so ist es Juli geworden. Am 18. Juli bin ich in Pfründisberg angekommen; es war morgens sechs Uhr, und der erste Mensch, den ich traf, war's Huldi. Hab' ich Euch erzählt, daß die Barbara eine Schulkameradin vom Huldi war? 's Huldi nahm mich auf, gab mir zu essen, lief dann zum Hausvater wegen mir und legte beim Hungerlott ein gutes Wort ein für mich. Der Hausvater hat getobt. Er hat gebrüllt, er avisiere die Polizei, ich gehöre nicht mehr nach Pfründisberg, ich gehöre an einen andern Ort, wo es strenger zugehe. Aber während er so im Hofe Krach schlug, kam plötzlich ein Herr dazu. Sein schneeweißer Schnurrbart verdeckte seine Mundwinkel und er erkundigte sich auf Schriftdeutsch, warum es hier solch einen Lärm gebe... ›Der Farny, der Lump, der verdammte, der uns durchgebrannt ist, kommt einfach wieder zurück!‹ – ›Farny?‹ fragt der alte Herr und dann fängt er an, mit mir zu sprechen. Da stellt es sich heraus, daß dieser feine Herr mein Onkel ist, der Bruder von meiner Mutter. Da durfte der Hungerlott natürlich nichts mehr sagen. Mein Onkel hat mir eine Stelle verschafft im Thurgau, mir Reisegeld gegeben und ich bin fortgefahren...«

»Wär' ich doch nie fortgefahren!« seufzte das Knechtlein und rieb sich die Augen mit den Handballen.

Studer räusperte sich: »Und 's Huldi?« fragte er.

»Ich habe Euch doch schon erklärt, Herr Studer, daß die Barbara mit dem Huldi in die gleiche Klasse gegangen ist...«

»Und nun ist also das Huldi dein Schatz?« wollte der Wachtmeister wissen.

Wieder stieg die Blutwelle von Hals über Kinn, Wangen, Schläfen in die Stirn, ganz verlegen murmelte das Knechtlein: »Der Onkel hätt' es nid ungärn gesehen, wenn wir geheiratet hätten.«

Der Wachtmeister stand auf, erhob seine breite Hand und ließ sie auf den Rücken des Ludwig niederfallen.

»Glücksbueb!« sagte er dann: »Es ist also abgemacht: Du hilfst mir bei der Aufklärung des Falles.«

»*Pauperismus*«

Sie aßen zur Nacht, die beiden ungleichen Gefährten, Wachtmeister Studer, breitschultrig in seinem grauen Konfektionsanzug – Ludwig Farny in seinem halbleinenen Kleid von bäurischem Schnitt... Sie aßen Geschnetzeltes mit Röschti, und das Knechtlein vertilgte ungeheure Mengen Brot.

»Du hütest das Zimmer, Ludwig«, sagte Studer, als die Serviertochter abgetragen hatte. »Ich muß noch einen Besuch machen. Du bist verantwortlich für dieses Zimmer. Du darfst niemanden hinein lassen. Verstanden?«

»Ja, Studer«, sagte das Knechtlein und man sah es ihm an, daß es tapfer die Verteidigung übernehmen würde, die ihm aufgetragen worden war. Und Studer, der Wachtmeister, freute sich, weil der Ludwig »Studer« gesagt hatte und nicht »Herr«.

Frost lag über dem Land und der Nebel hatte sich aufgelöst. Dünne Wolkenplatten zogen vorbei, bedeckten den Mond und gaben ihn wieder frei; klein war das Gestirn und grünlich wie eine unreife Zitrone – wahrhaftig, es ähnelte dem Monde jener Julinacht.

Die Anstalt war ein ehemaliges Kloster, das für die Besitzlosen eingerichtet worden war. Dünne Eisdecken bedeckten die Pfützen der Straße, welche zum Armenhaus führten. Studer gelangte in einen Hof, in dem es finster war.

Ein gepflasterter Weg führte zu einer Tür, über der eine rötlichglimmende Birne brannte. Der Wachtmeister trat ein – und lieber wäre er umgekehrt, denn der Geruch, der in diesem Vorraum hockte, verschlug ihm fast den Atem. Es roch nach Armut, es roch nach Unsauberkeit. Hinter einer Türe links war ein dumpfes Geräusch zu hören, Studer ging auf sie zu und öffnete sie, ohne anzuklopfen.

Drei Stufen führten hinab in einen verliesartigen Raum, schirmlose Birnen baumelten von der Decke und beleuchteten Tische mit dicken Holzplatten, an denen Männer saßen in verschmierten blauen Überkleidern. Zwischen den Tischen ging ein Mann auf und ab – wohl der die Aufsicht führende Wärter. Unbemerkt trat Studer ein, schloß die Tür und blieb auf der zweitobersten Stufe stehen. Vor den Männern standen Gamellen und Blechteller. Es roch nach Cichorienkaffee und dünner Suppe. Noch ein anderer Geruch mischte sich darein: der Geruch nach feuchten Kleidern, nach Wäsche.

Die Männer saßen da, die Unterarme auf die Tischplatte gelegt, als Wall gewissermaßen, der die mit Kaffee gefüllte Gamelle und den Teller mit Suppe schützen mußte. Manchmal geschah es, daß der von den Armen gebildete Wall sich auftat; eine Hand griff zum Nebenmann hinüber, um dort ein Stück Brot zu rauben. Dann flackerte Streit auf. Endlich erblickte der Friedensstifter des Wachtmeisters massige Gestalt, mit ein paar Sprüngen gelangte er zu den Stufen und fragte – krächzend war seine Stimme – was der Mann da wolle.

– Er müsse den Hausvater sprechen, sagte Studer.

– Da könne jeder kommen, meinte der Wärter. Schweigend zog Studer seine Legitimation aus der Tasche und hielt sie dem Mann unter die Nase.

Es war merkwürdig, die Veränderung zu beobachten, die mit dem Wärter vor sich ging. Sein Mund zwang sich zu einem untertänigen Lächeln, ja, der Mann versuchte sogar, sein Krächzen freundlich zu gestalten, als er sagte:

»Der Herr Direktor wird sich sicher freuen ...« Er öffnete die Tür, um Studer den Vortritt zu lassen. Hinter ihm brach ein Hexensabbat aus ... Einige grölten im Chore das Lied, das Studer vor fünf Monaten gehört hatte: »Wir wollen keine Tschucker auf dem Berg, Tschucker auf dem Berg ...« An der Tür drehte sich der Wärter um und schrie in den Lärm: »Ordnung halten! Ordnung halten, bis ich zurück bin! Sonst gibt's Strafe.« Aber seine ermahnenden Worte gingen im Toben unter. Man hörte den Lärm der Unbeaufsichtigten durch die geschlossene Tür.

Gänge ... Lange Gänge, bisweilen durchbrach ein Fenster die Mauern und man sah, wie dick die Wände gebaut waren. Stufen ... Gänge ... Winkel ... in diesem Labyrinth hätte man sich ohne Führer unweigerlich verirrt.

Und dann gelangten die beiden in einen neuen Teil der Anstalt. Der Boden der Gänge war mit Inlaid ausgelegt, außerdem dämpften noch Kokosläufer das Geräusch der Schritte ... Eine Türe. Unter dem Klingelzug ein Messingschild, worauf in verschnörkelten Buchstaben graviert stand: »Albert Hungerlott-Äbi, Hausvater«. Der Wärter zog den Klingelzug und es lag viel Respekt, viel Untertänigkeit in dieser einfachen Bewegung ... In der Wohnung schlug eine Glocke an, ein Mädchen kam die Türe öffnen – sauber war es gekleidet; eine weiße Spitzenschürze hob sich von ihrem schwarzen Kleid ab. Atemlos stieß der Wärter hervor: »Der... Herr... Wachtmeister... Studer möchte gerne den Herr Direktor sprechen.« Die Jungfer verschwand und kam wieder mit dem Bescheid, der Wachtmeister möge näher treten. Der Wärter empfahl sich überhöflich und Studer fragte sich, was der Mann wohl auf dem Gewissen habe...

Aber es blieb ihm nicht Zeit zu langen Überlegungen, denn als er das Arbeitszimmer des Hausvaters Hungerlott betrat, wartete seiner eine Überraschung. Aus einem tiefen Lederfauteuil erhob sich ein Mann, den der Wachtmeister nicht erwartet hatte, hier zu finden. Sein Partner im Billardspiel war es: der Notar Münch. Er trug wie immer einen hohen Stehkragen und schraubte an seinem Hals. Hinter dem Schreibtisch saß Hungerlott, stand auf und sagte:

»Sehr freundlich von Ihnen, Herr Wachtmeister, mich besuchen zu kommen. Wie ich sehe, kennen Sie meinen Freund Münch...«

– Ja, ja, meinte Studer trocken, den Münch kenne er schon lange. Er wundere sich zwar, ihn hier zu finden.

»Das hat alles seine Gründe«, sagte Hungerlott belehrend. »Nicht wahr, Herr Wachtmeister, das hätten Sie sich auch nicht träumen lassen, vor vier Monaten, daß wir uns in so tragischen Umständen wiedertreffen?«

Studer war verlegen – und das war ein Gefühl, das er haßte. Man mußte doch diesem Hungerlott kondolieren, weil er seine Frau verloren hatte.

»Darf ich Sie bitten, Platz zu nehmen, Herr Wachtmeister? Vielleicht gerade Ihrem Freunde Münch gegenüber? Vor dem Kamin? Sie müssen nämlich wissen, daß die Zentralheizung bei uns schlecht funktioniert... Darum lasse ich am Abend immer ein Feuerlein im Kamin anzünden... das gibt Wärme und Licht und Gemütlichkeit... nicht wahr, Münch?«

»Ich muß Ihnen noch«, sagte Studer, »zu dem schweren Verluste kondolieren, den Sie...« Weiter kam er nicht. Der Notar Münch aus Bern hatte einen Augenblick benützt, da der Hausvater mit dem Aussuchen der Getränke beschäftigt war. Und der Wachtmeister erhielt einen Tritt an das Schienbein, den er lautlos in Empfang nahm, über dessen Grund er sich jedoch nicht klar war.

»Ja«, sagte Herr Hungerlott, »es war ein schwerer Verlust! Und ein plötzlicher...«

»Und an was ist Frau Hungerlott...«

Wieder der Tritt an das Schienbein – ein Glück nur, daß der Wachtmeister Ledergamaschen angelegt hatte... Natürlich, es ging nicht gut an, den Freund und Notar zu fragen, warum er Fußtritte austeile – aber irgendeinen Grund mußte dies Verhalten wohl haben.

»Woran meine Frau gestorben ist, möchten Sie wissen? Es war eine bösartige Darmgrippe. Doktor Buff war sehr aufopfernd – aber er hat sie leider nicht retten können...«

Die Blicke des Notars waren beredt und Studer vermochte sie mühelos zu deuten... Sie drückten etwa aus: »Was hast du dich in diese Angelegenheit zu mischen? Was geht dich der Tod der Frau Hungerlott an? Oh, Studer!« sagten die Blicke. »Mußt du immer blöde Fragen stellen und dich blamieren?«

»Was trinken die Herren gerne?« fragte Herr Hungerlott, »Wein? Bier? Kognak?«

Der Notar Münch antwortete für seinen Freund Studer: »Wenn es Ihnen recht ist, Herr Direktor, trinken wir beide ein wenig Kognak.«

In der Stille war deutlich das Herausziehen des Korkens zu hören. Glucksend floß der gelbe, scharf riechende Trank in die Gläser. – Warum mußte der Wachtmeister an die Kristallgläser denken, damals in jener Julinacht, da der »Chinese« auf den Hinterbeinen seines Stuhles balancierte – und seine Lederpantoffeln hatten an seinen Füßen gehangen . . .!

»Prost«, sagte Herr Hungerlott. Er stand zwischen den beiden Freunden und stieß zuerst mit dem Wachtmeister an, hernach mit dem Notar. Er trug einen Anzug aus dunkelgrauem Stoff, der Kittel war wie eine Litewka geschnitten und bis zum Hals geschlossen; vorne unter dem Kragen kam eine Krawatte zum Vorschein, smaragdgrün mit roten Punkten. Diese Krawatte war aber nur zu sehen, wenn Herr Hungerlott den Kopf beiseite wandte – sonst bedeckte sein Spitzbärtlein diese farbige Herrlichkeit.

»Der Pauperismus – die Wissenschaft von der Armut!« begann der Hausvater der Armenanstalt Pfründisberg zu dozieren.

»Wir wissen viel von der Armut. Wir wissen beispielsweise, daß es Menschen gibt, die nie auf einen grünen Zweig kommen – wenn ich diese Metapher gebrauchen darf. Es ist nicht ihre Schuld. Fast möchte ich sagen – auf die Gefahr hin für abergläubisch zu gelten –, daß es diesen Menschen bestimmt ist, daß es in ihren Sternen steht, daß sie arm bleiben müssen . . .«

Fortsetzung eines Vortrages

Herr Hungerlott schritt auf und ab, die Hände in den Hosentaschen vergraben. Lautlos waren seine Schritte, denn der Boden des Zimmers war mit einem dikken Teppich bedeckt. In der Nähe des Fensters stand ein Diplomatenschreibtisch, dessen Platte leer war – und Studer dachte an den Tisch im Zimmer des ermordeten »Chinesen« –. Im offenen Kamin knallten die Buchenscheiter. Hell war die Flamme des Holzes und schon ihr Anblick gab warm. Dem Wachtmeister gegenüber, in einem bequemen Klubsessel, saß der Notar Münch und hatte das rechte Bein über das linke geschlagen. Studer saß da in seiner Lieblingsstellung, die Ellbogen auf den gespreizten Schenkeln, die Hände gefaltet und starrte in die Flammen. Zwei Wände des Zimmers waren mit Gestellen bekleidet, und als der Wachtmeister die Bücherrücken während des nun folgenden Vortrages von ferne prüfte, sah er alte Bekannte wieder: Groß: »Handbuch für Untersuchungsrichter«, die Werke Locards, Lombrosos, Rhodes' – zwei Etageren waren gefüllt mit Kriminalromanen: Agatha Christie, Berkeley, Simenon …

»Sie können es nicht einmal zu einem geregelten Leben bringen – zu einem finanziell geregelten Leben, meine ich; alles scheint ihnen unter den Fingern kaputt zu gehen, sie können sich in keiner Stellung halten, und wenn sie zufällig

Geld von ihren Eltern geerbt haben, so verlieren sie dieses Geld – und nicht einmal durch eigene Schuld... Durch einen Bankkrach, durch die Unehrlichkeit eines Notars – dies soll keine Anspielung auf dich sein, lieber Münch...«

»Hoffentlich!« brummte der Notar und fuhr mit dem Zeigefinger zwischen Kragen und Hals.

»Sie sehen, Studer, wie empfindlich die Menschen sind... Ich habe versucht, der Regierung einmal meine Theorie des Pauperismus auseinanderzusetzen – der Pauperismus als Schicksal und nicht als Verschuldung –, aber ich bin nicht angehört worden. Und doch könnte ich tagtäglich den Beweis für meine Theorie führen. Wenn Sie wüßten, Studer, wie viele Schicksale durch meine Hände gehen!... Ich habe es erlebt, daß Leute in Pfründisberg eingewiesen worden sind, nur weil sie arbeitslos waren! Ich gebe mir die größte Mühe, diesen Individuen zu helfen – aber der Fluch ist eben die Gemeinschaft, in der sie leben müssen. Sie machen sich keinen Begriff, Studer, welchen Einfluß das Milieu hat. Zehn Schnapser und Faulenzer können 100 anständige Menschen schlecht machen. Und der Fluch ist eben, daß wir zehn Schnapser und Faulenzer haben. Vergeblich habe ich versucht, den Behörden begreiflich zu machen, diese Elemente auszuschauben... Umsonst! Man gibt mir zur Antwort: Die Leute haben nichts verbrochen, sie sind schuldlos in das Unglück geraten. Unsere Armenbehörde hat die Pflicht, diesen Unglücklichen zu helfen. Nun urteilen Sie selbst, Studer, wir erhalten für jeden Zögling ein Taggeld von Fr. 1.17; das muß für alles langen: für Nahrung, für Kleidung, für Arzt. Wie soll ich das nun machen? Ich kann den Leuten kein anständiges Essen vorsetzen – und Sie werden mir zugeben müssen, daß schlechtes Essen auch dem Geist schadet. Ich tue mein möglichstes ...«

»Und schaffst dir ein Auto an!« dachte Studer.

Es waren viele Dinge, die den Wachtmeister an Herrn Hungerlott störten: da war zuerst der aus zwei Ringen zusammengeschweißte Schmuck am Ringfinger – der Ring der verstorbenen Frau an den Ring des Witwers gelötet – und Herr Hungerlott spielte die ganze Zeit mit diesem Doppelring, der viel zu weit war für seinen mageren Finger. Da war zweitens der Spitzbart – die Wangen waren glatt rasiert und nur aus dem Kinn wucherten Haare von schmutzig graubrauner Farbe. Und da war drittens der merkwürdige Anzug des Herrn Hungerlott, der litewkaartige Rock mit der farbenprächtigen Krawatte, die nur von Zeit zu Zeit aufleuchtete... Viertens endlich: Der Hausvater sagte: »Studer...« und nicht: »Herr...« Eines aber war sicher sympathisch an dem Mann: er hörte sich gerne sprechen und da Wachtmeister Studer selbst lieber schwieg, hatte er gegen Leute, die sich gerne reden hörten, nichts einzuwenden. Er durfte dann ruhig in seinem Stuhle hocken, die Worte über sich rinnen lassen und in die Flammen starren...

Was aber, was zum Teufel, hatten die beiden Fußtritte zu bedeuten, mit denen ihn sein Freund, der Notar bedacht hatte? Studer schielte aus den Augenwinkeln zu Münch, aber dieser war viel zu sehr beschäftigt mit seinem allzu hohen Stehkragen, der sich an seiner Halshaut wetzte...

»Ich tue mein möglichstes«, dozierte Herr Hungerlott weiter, »aber ich stecke in einem Dilemma, aus dem ich keinen Ausweg finde: einesteils ist es meine Pflicht, als Hausvater einer Armenanstalt meinen Zöglingen die Liebe zur Arbeit beizubringen, sie zu überzeugen, daß sie nur durch Arbeit wieder ein geregeltes Leben werden führen können... Demgegenüber steht meine persönliche Überzeugung, mein Glauben fast, möchte ich sagen, daß die Armut gewissen Menschen vorbestimmt ist, daß sie ›in den Sternen geschrieben steht‹, und daß nichts ihren Lebenslauf ändern kann, keine Anstrengung, keine Arbeit, keine Pflichterfüllung!«

»An einer Darmgrippe ist Frau Hungerlott gestorben?« fragte Studer, starrte ins Feuer und würdigte Herrn Hungerlott keines Blickes.

Der dritte Fußtritt! Studer verzog keine Miene.

»An ... ja ... an ... einer Darmgrippe ... ganz richtig ... an einer perniziösen Darmgrippe«, stotterte der Hausvater.

»Und hat James Farny ein Testament hinterlassen?« fragte Studer trocken.

Der Notar Münch faltete die Hände, sandte einen verzweifelten Blick gen Himmel, denn er verstand seinen Studer nicht mehr.

»Das heißt ... wie meinen Sie das, Herr Studer? Natürlich hat der Ermordete ein Testament hinterlassen, das seine Verwandten bedenkt ... Seine Schwester – meine Schwiegermutter hehe –, die in Bern mit einem düsteren Subjekt verheiratet ist.

... Nun, düsteres Subjekt ist vielleicht zu viel gesagt. Schließlich ist dieser Arnold Äbi mein Schwiegervater. Aber vor meiner Heirat mit der Anna hat die Armenbehörde zweimal den Antrag gemacht – der Äbi sollte versorgt werden. Ein Säufer ist er, früher war er Maurer, aber jetzt ist er ein wenig arbeitsscheu – das darf ich wohl sagen, obwohl ich ja mit ihm verwandt bin. Außer meiner Schwiegermutter kommt natürlich als Erbin meine Frau in Betracht. Sie ist jetzt tot und ich weiß nicht genau, was in diesem Falle geschehen wird. Auch der Bruder der Anna wird erben – Ernst heißt er und absolviert den Jahreskurs in der Gartenbauschule. Wozu ich bemerken muß, daß James Farny seinem Neffen den Kurs zahlte und ihn auch sonst mit Taschengeld versorgte; während meine Frau keinen Rappen – ich betone: keinen Rappen – von ihrem Onkel erhalten hat. Ich wollte daher meinen Freund Münch um Rat fragen: die Summen, die an diesen Ernst Äbi ausbezahlt worden sind, müssen selbstverständlich von der Erbschaft abgezogen werden, oder?... Außer diesen Personen ist noch jemand vorhanden, der den Namen Farny trägt: ein uneheliches Kind der Mutter Äbi, die mit ihrem Mädchennamen also Farny hieß und diesem Kinde natürlich diesen Namen gab. Wer der Vater war, weiß man nicht. Ob nun dieser Ludwig Farny ebenfalls erbberechtigt ist...«

»Er ist es«, knurrte Münch, aber der Hausvater stellte sich schwerhörig und fuhr fort:

»... Darüber muß natürlich das Gericht entscheiden. Ich werde, nach Rücksprache mit meinem Freunde Münch einen Fürsprech beauftragen, meine Interessen zu wahren...«

Studer stand auf, streckte sich und gähnte ungeniert. »Das wär alles für heut abend, *Herr* Hungerlott.« Und er betonte das Wort »Herr«, unterstrich es sogar mit einer Handbewegung. Er gab keinem der beiden die Hand, sondern schritt zur Tür. Im Vorzimmer nahm er seinen Mantel – und da er genügend Orientierungsvermögen besaß, gelang es ihm, den Ausgang zu finden. Er kehrte in die Wirtschaft »Zur Sonne« zurück. Im Gastzimmer brannte noch Licht, aber der Wachtmeister sehnte sich nach Einsamkeit. Darum suchte er das Zimmer auf, in dem der ermordete Farny James gehaust hatte. Ein zweites Bett war aufgeschlagen worden. Ludwig Farny, das Knechtlein von Amriswil, schlief darin den Schlaf des Gerechten, das heißt, es schnarchte unerhört. Der Wachtmeister gab ihm eine Kopfnuß, der Bursche fuhr auf, erschreckt, seine Haare, gelb wie Roggenstroh, standen wirr von seinem Kopfe ab, und das Blau seiner weitaufgerissenen Augen leuchtete, leuchtete...

Brummig sagte der Wachtmeister zu seinem Schützling: »Wenn du so schnarchst, kann ich nicht schlafen!«

»Entschuldiget, Herr Studer... aber ich schnarch immer, wenn ich müd' bin...«

»So leg dich auf die Seite! Wenn man auf dem Rücken liegt, schnarcht man immer!«

Gehorsam kehrte Ludwig sein Gesicht der Wand zu und war nach kaum einer Minute wieder eingeschlafen. Nach zwei Minuten begann das Schnarchen von neuem und tönte wie das Kreischen einer Waldsäge... Studer zog sich aus, dumpfe Flüche murmelnd; dann, bekleidet mit einem Flanellpyjama, Lederpantoffeln an den Füßen, inspizierte er noch einmal das Zimmer; die Wände waren mit Holz getäfelt. Jede Latte untersuchte der Wachtmeister – aber er fand nichts. Endlich kroch er ins Bett, denn ihn fror. Vor dem Einschlafen brummte er noch: »Auf alle Fälle ist der Farny nicht in diesem Zimmer erschossen worden, sonst hätt' ich die Kugel gefunden.«

Einige Minuten noch störte ihn das Schnarchen seines Helfers. Dann hörte er auch dieses nicht mehr und schlief ein, den mageren Kopf auf die rechte Hand gebettet.

Atmosphäre Nr. 3

Wenn Studer in späteren Zeiten die Geschichte des »Chinesen« erzählte, nannte er sie auch die Geschichte der drei Atmosphären. »Denn«, sagte er, »der Fall des ›Chinesen‹ hat in drei verschiedenen Atmosphären gespielt: in einem Dorfwirtshaus, in einer Armenanstalt, in einer Gartenbauschule. Darum nenn' ich den Fall manchmal die Geschichte der drei Atmosphären.«

Am nächsten Morgen war die dritte Atmosphäre fällig, die Gartenbauschule. Zuerst frühstückte Studer mit seinem zufälligen Gehilfen Ludwig Farny und machte sich dann mit diesem auf den Weg, um dem Direktor Sack-Amherd einen Besuch abzustatten. Es gelüstete ihn, die Bekanntschaft Ernst Äbis zu machen, der des »Chinesen« zweiter Neffe war.

In der Nacht hatte das Wetter umgeschlagen; der Föhn wehte. Sehr klar war der Hügelabhang auf der andern Seite des Tales; die Blätter einiger Birken glänzten in der Sonne wie Goldstücke, und purpurn funkelte der Laubwald in seinem Rahmen von dunkelgrünen Tannen.

Als er das Grundstück der Gartenbauschule betrat, merkte er, daß hier anders gewirtschaftet wurde. Obwohl der Kies zu Haufen lag – damit er wegen der Feuchtigkeit des Winters nicht in die Erde getreten wurde –, merkte man es den Wegen doch an, daß sie über einem Steinbett angelegt worden waren. In der Ferne surrte eine Bodenfräse; neben einer Steinmauer breitete sich eine Zwergobstpflanzung aus, in der eine Gruppe von Schülern stand ... Studers Ankunft brachte Erregung unter sie, der Wachtmeister glaubte Tuscheln und Schwätzen zu hören. Aber unentwegt schritt er vorwärts – fünfzig Meter – dreißig Meter – da hörte er eine bekannte Stimme: »Dort gibt's nichts zu sehen! Wir haben jetzt Stunde! Hier müßt ihr aufpassen!«

Studer erkannte den Sprecher: Herr Direktor Sack-Amherd trug einen mit Pelz gefütterten Mantel – und auch der Kragen war aus Pelz, sowie die Mütze –, die Hände steckten in gefütterten Lederhandschuhen. Über den Schuhen trug er Galoschen, und seine Hosen waren tadellos gebügelt. In der Hand hielt er eine blitzend vernickelte Baumschere, mit der er hier und dort ein Ästlein abzwickte.

»Beim Pyramidenschnitt habt ihr vor allem darauf zu sehen, daß die Konstruktion, daß der Aufbau des Baumes nicht leidet. Natürlich gibt es Gärtner, die drauflos schneiden, so, wie es ihnen gerade in den Sinn kommt. Das nenne ich nicht Baumschnitt, sondern Pfusch ... – Aah! Guete Tag, Herr Studer! Freut mich! Freut mich, Sie wieder zu sehen. Natürlich sind Sie wegen dem Mord gekommen! Aber ich hoffe, daß es Ihnen nicht einfällt, einen unserer Schüler zu verdächtigen ... oder?«

Studer schüttelte das Händlein, murmelte dunkle Begrüßungsworte und zog den Direktor beiseite, fern ab von den glotzenden Schülern.

»Ich möchte natürlich«, sagte er, »Ihrer Schule so wenig als möglich Unannehmlichkeiten bereiten, Herr Direktor. Doch werde ich es kaum verhindern können, wenigstens einen Ihrer Schüler zu verhören. Er ist, wie mir erzählt wurde, ein Neffe des Ermordeten. Äbi Ernst soll er heißen. Ich glaube, es wird sogar nötig sein, seinen Schrank zu durchsuchen....«

»Was Sie nicht sagen! Den Schrank erlesen, den Schrank eines meiner Schüler!... – Äbi!« rief er, und seine Stimme überschlug sich.

Wie alt mochte dieser Schüler sein? Sicher älter als seine Kameraden. Sechsundzwanzig? Achtundzwanzig? Ein alter Bekannter übrigens. Es war der Schüler mit der Nase, die so lang aus dem Gesicht ragte, daß sie wie verzeichnet aussah. Als der Bursche zwischen den beiden Männern stand, schnauzte ihn der Direktor an:

»Nur Unannehmlichkeiten hat man wegen dir. Jetzt will die Polizei deinen Schrank erlesen! Kannst du dir vorstellen, was das für eine Blamasche bedeutet für die Schule?«

War es eine Täuschung? Es schien dem Wachtmeister, als sei der Äbi Ernst erblaßt. Aber Studer gab seiner Stimme einen gewollt gemütlichen Ton, um zu sagen:

»Machen wir's wie beim Zahnarzt, Herr Direktor... Je schneller desto besser.«

Er gab Ludwig einen Wink, auf seinen Stiefbruder aufzupassen, und ging dann voraus, neben dem Direktor, auf das Schulhaus zu.

Ein breiter Bau, im Stilgemisch des Kantonsarchitekten ausgeführt: teils Bauernhaus, teils Dorfschulhaus, teils Fabrikgebäude. Die Eingangstür verziert mit Kunstschlosserarbeit. Durch sie gelangte man in eine viereckige Halle, von der aus eine Treppe, zweimal gewinkelt, in das erste Stockwerk führte. Im Raum zwischen diesen beiden Winkeln stand ein moosbewachsenes Brünnlein, umgeben von einigen eingetopften Chrysanthemen, deren Stengel spannen- bis meterhoch waren. Bunt die Blumen, bronzefarben, purpur, goldgelb – und weiß. Als Studer die Treppe neben dem Direktor hinanstieg, wandte er sich um: das Bild, das er sah, sollte ihn lange verfolgen ...

Ludwig Farny hatte seine breite, verarbeitete Rechte auf seines Stiefbruders Schulter gelegt. Besorgt blickten seine Augen, deren Blau so merkwürdig glänzte. Die schützende Gebärde des Knechtleins – viel kleiner war es als der Gartenbauschüler – wirkte so rührend, daß Studer einen Augenblick Gewissensbisse empfand. Aber schließlich: Pflicht ist Pflicht. Bei einer Untersuchung darf man auf Gefühle keine Rücksicht nehmen.

Wenn der Wachtmeister geglaubt hatte, unverzüglich zum Schrank des Äbi Ernst geführt zu werden, hatte er sich getäuscht. Selbst ein Mord kann den Direktor einer Schule nicht davon abhalten, die Herrlichkeiten seines Institutes zu zeigen. Außerdem litt Herr Sack-Amherd an Asthma. Darum führte er auch seinen Gast durch den ganzen ersten Stock, ließ ihn das Krankenzimmer bewundern (zwei Betten standen darin), die Bibliothek, das Museum, das Konferenzzimmer. Beim Betreten des Raumes fiel dem Herrn Direktor plötzlich ein, daß er es versäumt hatte, einem Lehrer die Aufsicht über die Schüler zu übertragen. Zuerst wollte er den Äbi fortschicken – aber der Wachtmeister protestierte gegen diesen Vorschlag. So wurde das Knechtlein abgesandt, und Studer mußte in dem Raume warten, in welchem sich ein mit grünem Filz bespannter Tisch langweilte, trotzdem ihn sechs hochlehnige Stühle umgaben.

»Geh, Bürschtli!« sagte Herr Sack-Amherd und beschrieb den zu nehmenden Weg. »Sag, ich sei bis elf Uhr beschäftigt. Bis dahin soll er die anderen ins Gewächshaus nehmen und einen Kurs über Topfpflanzen geben. Wottli heißt er. Das Schild mit dem Namen ist auf dem Briefkasten angebracht. Hast verstanden?«

Wieder wurde Ludwig rot, schielte zu seinem Stiefbruder hinüber, der die Stirn an eine Fensterscheibe gelehnt hatte und in den Garten hinausstarrte. Dann ging er. Um nicht mehr auf das Geschwätz des Direktors lauschen zu müssen, setzte sich Studer und blätterte in einem Buche, das auf dem Tische lag. Es war ein merkwürdiges Buch, ein Inder hatte es geschrieben, und es handelte von sonderbaren Versuchen: Der Verfasser hatte mit komplizierten Apparaten den Pulsschlag der Pflanzen festgestellt, der durch Einspritzungen von Chloroform verlangsamt und durch Einspritzungen mit Koffein beschleunigt werden konnte...

Endlich kam Ludwig Farny zurück, und nun stiegen die vier in das zweite Stockwerk hinauf. Auch hier mußte Studer zuerst die Schlafsäle bewundern, ihr spiegelndes Parkett, die weißgestrichenen Eisenbetten, auf denen rotgewürfelte Federdecken und Kissen lagen. Dann endlich trat die Gruppe auf den Gang hinaus (ein Kokosläufer bedeckte seine grauen Fliesen und der Waschraum enthielt zwei Dutzend weiße Porzellanbecken mit Hähnen darüber für kaltes und warmes Wasser) und blieb vor einem Schrank stehen, der in schwarzer Farbe die Nummer 26 trug.

»Aufmachen!« kommandierte der Direktor, und zum

Wachtmeister gewandt, fügte er hinzu: »Ich besitze natürlich einen zweiten Schlüssel für jeden Schrank, aber es scheint mir...«

Ernst Äbi öffnete seinen Schrank... Arbeitskleider, ein Sonntagsanzug... Wäsche, Schuhe... Studer begann auszuräumen und legte jeden Gegenstand fein säuberlich auf den Kokosläufer. Von Zeit zu Zeit schielte er auf den Äbi Ernst und wunderte sich über die bleiche Nasenspitze des Burschen. Verschwommen dachte der Wachtmeister dabei an das vor kurzem durchblätterte Buch, er hätte gern dem Schüler den Puls gefühlt, um zu wissen, ob er schneller schlug. Wahrscheinlich... Menschen brauchten eben keinen giftigen Fremdstoff, wie die Pflanzen, um den Blutkreislauf zu beschleunigen...

»Was ist das?« Studer hatte die Schuhe herausgezogen, nun hielt er ein verschnürtes Päcklein in der Hand und wog es mißtrauisch. »Was ist das?« wiederholte er.

Keine Antwort. Ernst Äbi hatte eine verstockte Miene aufgesetzt. So knüpfte der Wachtmeister den Knoten auf, streifte das Papier ab und betrachtete den Inhalt.

Ein Schlafanzug aus Rohseide. Auf den Hosen ein paar rote Spritzer... der Kittel jedoch starrte von Blut. Auf der linken Vorderseite ein ausgefranstes Loch.

»Was ist das?« fragte Studer zum dritten Male. Da der Schüler immer noch schwieg, begehrte der Direktor auf:

»So antworte doch!« Aber Ernst Äbi hatte die Lippen zwischen die Zähne gezogen, nun war nicht nur die Nase bleich, sondern das ganze Gesicht. Das Knechtlein aber war puterrot geworden und starrte ängstlich auf seinen Stiefbruder...

Studer versuchte es noch einmal:

»Wo hast du das gefunden, Ernstli?«

Wieder das verstockte Schweigen. Mit Güte war da auch nichts auszurichten. So ließ Studer die blutbefleckte Wäsche auf den Boden fallen, trat mit dem Packpapier ans Fenster und untersuchte es ... Kein Zweifel: die Adresse, die darauf gestanden hatte, war mit einem Federmesser ausradiert worden. Hielt man jedoch das braune Papier gegen die Glasscheibe, so ließen sich deutlich Buchstaben erkennen:

»Herrn Paul Wottli, Gartenbaulehrer, Pfründisberg bei Gampligen.« Und als Absender:

»Frau Emilie Wottli, Aarbergergasse 25, Bern.«

Es konnte ein Anhaltspunkt sein. Der wohlgenährte Direktor hatte des Wachtmeisters Tun mit glotzenden Blicken verfolgt ...

– Ob Herr Studer etwas gefunden habe, wollte er wissen und spielte mit der Uhrkette aus Weißgold, die über seinem Ränzlein baumelte. Der Gefragte zuckte schweigend mit den Achseln.

Wottli ... Wottli ... Der Name kam ihm bekannt vor. War das Knechtlein Ludwig nicht zu einem gewissen Wottli geschickt worden? Hatte nicht der Lehrer Wottli für den Direktor einspringen müssen?

»Wie heißen Ihre Lehrer, Herr Direktor?«

Sack-Amherd hob seine Rechte und zählte gehorsam die Mitglieder seines Lehrkörpers auf:

»Blumenstein, der den Obstbau gibt – Kehrli, der den Gemüsebau lehrt, und Wottli, der Topfpflanzen, Düngerlehre und Chemie gibt. Ein tüchtiger Lehrer, der Wottli ... Darum hab' ich ihn auch für die Aufsicht bestimmt ...«

»Ist Wottli verheiratet?«

»Nein, Herr Wachtmeister; er sorgt für seine Mutter – und Frau Wottli lebt in Bern. Ein guter Sohn, ein braver Sohn...« Wie süß klang die Stimme des Direktors! Und seine Lippen bildeten ein Kreislein. »O ja! Der Lehrer Wottli wird es noch weit bringen. Übrigens... Auch mit dem seligen Farny war mein Lehrer« – »Mein Lehrer«... sagte der dicke Mann! – »war mein Lehrer gut befreundet... Es würde mich nicht wundern, wenn Wottli etwas erben würde... Er war ja reich, dieser merkwürdige Gast, der seine Memoiren in einer abgelegenen Beiz schrieb...«

Auch Direktor Sack-Amherd wußte also, daß der »Chinese« seine Memoiren schrieb.

»Haben Sie diese Memoiren gelesen, Herr Direktor?«

»Zum Teil nur... Einmal las uns Herr Farny aus ihnen vor.«

Plötzlich wandte sich Studer an den Schüler Äbi:

»Wo hast du das Packpapier gefunden?«

Schweigen... Verstocktes Schweigen. Ludwig Farny, das Knechtlein, versuchte das Schweigen seines Stiefbruders zu brechen.

»So red doch, Ernst!« sagte er, beschwörend schier, und in seiner Stimme schienen Tränen zu zittern.

Aber Ernst Äbi wollte nicht sprechen. Er hob die Achseln, bis sie seine Ohren berührten, die groß waren und stark gerötet – so, als wolle er mit dieser Bewegung andeuten, daß jede Aussage sinnlos sei. Und eigentlich verstand der Wachtmeister diesen stummen Protest...

»Wenn Sie nichts dagegen haben, Herr Direktor« (sein

schönstes Schriftdeutsch benützte Studer, um diesen Vorschlag zu machen), »dann könnten wir vielleicht – natürlich mit Ihrem Einverständnis, und nur, wenn *Sie* nichts dagegen haben! – zu folgendem Schluß gelangen: Sie werden selbst zugeben müssen, daß das Auffinden dieses sonderbar verdächtigen Päckleins für die Schuld – wenigstens die Mitschuld – eines Ihrer Schüler an dem mysteriösen Morde spricht...«

»Müschteriös, sehr müschteriös...«, seufzte Sack-Amherd.

»Wissen Sie, was? Sie haben im ersten Stocke ein schönes Krankenzimmer, es ist leer, ganz leer, was ein sicherer Beweis für die äußerst hygienische Führung Ihrer Schule ist...«

»Hohoho«, lachte Sack-Amherd geschmeichelt und bettete sein Kinn verschämt auf die schwarze Plastronkrawatte, welche die gestärkte Hemdbrust bedeckte.

»Ich mag den Ernst Äbi nicht verhaften, bis ich meiner Sache sicher bin«, fuhr Studer fort, und er sprach so laut, daß auch die beiden Stiefbrüder jede Silbe seiner Rede verstehen konnten. »Wie wäre es, wenn wir die beiden Brüder in dies Krankenzimmer täten, Ludwig Farny könnte auf Ihren Schüler aufpassen, und ich wäre dann sicher, daß der Verdächtige nicht versuchen würde, zu entfliehen. Zu dem Knechtlein habe ich Vertrauen...«

»Was?« fauchte der Direktor und schob sein Kinn vor. »Was? Einem ehemaligen Armenhäusler? Einem Burschen, der in Korrektionsanstalten erzogen worden ist, schenken Sie Ihr Vertrauen?«

»Ja«, sagte Studer milde. »Ich habe Vertrauen zu ihm,

weil auch der Chi..., äh... sein Onkel, Vertrauen zu ihm gehabt hat...«

»*Sie* haben die Verantwortung zu tragen, Herr Wachtmeister Studer. Und wenn Sie von der Kantonspolizei gedeckt werden, so habe ich...«

»Woscht, Ludwig?« Das Knechtlein nickte. »Und du, Ernscht?«

»Ja... gärn!«

»Dann wäre alles erledigt!« Studer stieß einen Seufzer aus, der seine Zufriedenheit ausdrückte. »Tagsüber können die beiden meinetwegen im Haus herumgehen, aber um sechs Uhr abends schließen Sie, Herr Direktor, die Zimmertüre zu und behalten den Schlüssel bis zum nächsten Morgen. Sie sind mir verantwortlich für Ihren Schüler!«

Sack-Amherd wollte widersprechen – doch dann verschluckte er den geplanten Einwand und gab durch ein Kopfnicken sein Einverständnis kund.

»Läbet wohl, mitenand!« Der Wachtmeister winkte mit der Hand, strich seinem Helfer sanft über das roggenblonde Haar, krümmte dann seine Finger und boxte den Ernst Äbi freundschaftlich gegen die Brust:

»Mach keine Dummheiten, Krauterer!«

Dann stieg er langsam die Stufen hinab und hörte noch des Direktors erboste Stimme. Sack-Amherd regte sich über das Wort »Krauterer« auf. Für einen Studierenden, der im Februar des nächsten Jahres das grüne Diplombüchlein erhalten sollte, war dies Wort eine Beleidigung.

's Trili-Müetti

Der Weg, welcher die Gartenbauschule mit der Wirtschaft »Zur Sonne« verband, führte am Hofeingang der Armenanstalt vorbei. Unter dem Tore blieb der Wachtmeister stehen und sah einem Weiblein zu, das in einem großen Holzbottich wusch. Verfilzte, weißgraue Haare flatterten auf einem winzigen Köpflein, in der ganz nach rechts gerutschten Nase waren die Löcher groß. Neben der Wäscherin lagen am Boden schmutzige Leintücher, Hemden, Kissenbezüge, Nastücher, und um ihre Beine strich ein junges Hähnlein, das von Zeit zu Zeit versuchte, ein Krähen loszulassen. Doch dies gelang dem Güggeli nicht: der mühsame Kräh zerbrach – wahrscheinlich litt das Tierlein an Stimmbruch.

»Grüeß di, Müetti!« Studer blieb stehen und vergrub die Fäuste in den Manteltaschen. Der rechte Ellbogen preßte das im Schrank des Äbi Ernst gefundene Päcklein gegen die Hüfte...

»Grüeß di wou, schöne Ma!« Das Weiblein kicherte, hustete, seine zwinkernden Äuglein tränten.

»Gäng wärche?«

»Deich wou! 's Trili-Müetti mueß schaffe, schaffe, nüt as schaffe!...«

Drei Armenhäusler, in blauen, verwaschenen Überkleidern, tanzten schwerfällig und langsam wie Bären über den

Hof. Jeder hielt einen Besen, dessen Reisig den Staub zusammentrieb – doch plötzlich kam ein Windstoß und verwehte das Häuflein. Dann kratzten die Besen wieder über die gestampfte Erde ...

Ob 's Trili-Müetti immer so streng habe schaffen müssen? fragte der Wachtmeister. – Wie die Frau Hungerlott noch dagewesen sei, habe das Müetti wohl weniger Arbeit gehabt?

– Die? Die ins Wasser gelangt? Mit ihren bemalten Fingernägeln? Nie habe die Hausmutter ihre Hände in Seifenlauge getaucht. Gäng habe 's Trili-Müetti wäsche müesse ... »Gell Hansli?«

Der Güggel streckte seinen Hals, so, als müsse er seinen Kopf aus einem allzu hohen Stehkragen schrauben – exakt, wie der Notar Münch, dachte Studer –, dann legte er seinen purpurnen Kamm auf die Seite und blinzelte. »Go–ogg!« meinte er, was in seiner Sprache sicher die Behauptung des Weibleins bestätigen sollte.

Dann rannte der Hahn durch den Hof, machte vor einem Staubhaufen halt, scharrte, pickte. Die drei Armenhäusler sahen ihm zu, gestützt auf die Stiele ihrer Reisbesen. Dann suchten sie in ihren Taschen und warfen dem Vogel Brotkrumen zu ...

»Hansli!« rief die Wäscherin. Der Hahn trottete näher, versuchte zu krähen, schüttelte sich – und begann an den Leintüchern zu picken, die auf dem Boden lagen.

's Trili-Müetti sang:

»In Muetters Stübeli da goht dr hmhmhm,
In Muetters Stübeli da goht dr Wind.

Mueß fast verfrüüre vor lutter hmhmhm,
Mueß fast verfrüüre vor lutter Wind.
Du nimmscht de Bettelsack und i de hmhmhm,
Du nimmscht de Bettelsack und i de Chorb . . .«

Während Studer darüber nachdachte, warum die alte Frau ein Appenzellerlied sang, statt eines bärndeutschen, fühlte er plötzlich, wie das Päckli, das unter seinem Ellbogen eingeklemmt war, auf den Boden fiel. Es ging auf, der Schlafanzug, der mit Blut getränkt war, wurde von der Sonne beschienen, die zwischen zwei Wolken auftauchte. Zuerst war der Güggel zurückgeflattert, nun kam er näher, grub seine Krallen in den dünnen Stoff und pickte, pickte – genau wie er vor kurzem an der schmutzigen Bettwäsche gepickt hatte . . .

»Gang awääg . . . Ksch . . . Woscht! . . .« Der Wachtmeister klatschte in die Hände, aber der Hahn blieb hocken und stieß nur einen verfehlten Kräh aus.

Das sei ein zahmer Güggel! meinte Studer erstaunt.

»Ja, gell, Hansli! Mir zweu verstandet üs!« Das alte Weiblein nahm Wäsche aus dem Bottich, rang sie aus und warf sie neben sich aufs Pflaster. Studer bückte sich, um sein Eigentum aufzuheben – aber der Vogel war ganz aufgeregt. Er sprang in die Höhe, sein Schnabel zerriß das Papier. Dann ließ er ab und beschäftigte sich wieder mit Staub.

Endlich konnte Studer das braune Packpapier wieder um den Schlafanzug wickeln. Nun meinte er, ’s Müetti könne für sein Alter gut singen. Und wie das denn gewesen sei mit der Krankheit der Hausmutter?

Das Weiblein schlug mit der flachen Hand in das schaumige Wasser, ein Spritzer erreichte des Wachtmeisters magere Nase.

– Gar gruusam habe sie leiden müssen, die Hausmutter, sagte die alte Frau und schnupfte. Dann rieb sie sich die Augen mit dem feuchten Handrücken.

– Gruusam? Wie das denn gewesen sei mit dieser Krankheit?

Nun hielt das Weiblein seine Rechte vor den Mund: – Es wäre eben nicht alles richtig gewesen. Aber das Beste sei wohl, man hocke ufs Muul...

– Was es denn Geheimnisvolles gegeben habe? Und warum man es nicht erzählen dürfe?

Das Weiblein legte den Zeigefinger auf ihre eingefallenen Lippen.

– Am besten sei immer der dran, meinte es, der nicht zuviel schwätze.

– Schön, nickte der Wachtmeister. Aber zu ihm könne sie doch Vertrauen haben. 's Trili-Müetti könne sicher sein, daß er nichts weiter plappere. Denn ein Fahnder habe das Schweigen gelernt...

Doch diese Versicherung schien der alten Frau keinen Eindruck zu machen, sie summte ihr Liedlein:

»Du nimmscht de Bettelsack und i de hmhmhm,
Du nimmscht de Bettelsack und i de Chorb...«

Kaum hatte sie ihr Verslein zu Ende gesungen, geschah etwas Merkwürdiges. Das Hähnlein, das in der schmutzigen Wäsche herumgepickt und mit seinem spitzen Schnabel

Studers Fund bearbeite hatte, fiel um. Von unten her schob sich sein Lid übers Auge, schwach krächzte der Hansli, streckte die Krallen – und dann war er tot.

Nun brach die Alte in Wehklagen aus:

»Hansli, mis Hansli! Was isch dir passiert?« Und Tränen kollerten aus den entzündeten Augen. Sie hob den Vogel auf, wiegte ihn auf den Armen wie ein Kindlein, und blickte den Wachtmeister vorwurfsvoll an, so, als wolle sie ihn verantwortlich machen für diesen Tod. Um das Trili-Müetti standen die drei Armenhäusler, gestützt auf ihre Besen; einer in ihrem Rücken, der zweite rechts von ihr, der dritte links. Studer mußte an das Bild denken, das er gestern, bei seiner Ankunft, auf dem Friedhofe gesehen hatte. Drei Männer umstanden eine Leiche...

Wie überraschend schnell war der Güggel verendet! Der Wachtmeister erinnerte sich, daß der Vogel in der neben dem Bottich liegenden schmutzigen Wäsche gepickt hatte – und Studer bückte sich zu diesem Haufen und begann ihn zu erlesen. Drei Taschentücher – sie rochen unangenehm nach Knoblauch; er drehte und wendete jedes einzelne, bis er das Monogramm entdeckt hatte: zwei verschlungene Buchstaben, A. Ä. – Anna Äbi...

Knoblauch? Das bewies nicht viel: Übrigens hatte der Hahn mit seinem Schnabel auch das Päckli bearbeitet, das der Wachtmeister zwischen Ellbogen und Hüfte hielt. Nun hob er auch dieses an die Nase – kein Zweifel, das braune Papier roch nach Knoblauch... Dunkel erinnerte sich Studer an die Untersuchung eines Giftfalles. Damals waren Leintücher und Taschentücher geprüft worden, und sein Freund, der Assistent am Gerichtsmedizinischen, Dr.

Giuseppe Malapelle aus Mailand, hatte ihm auseinandergesetzt, daß Knoblauchgeruch fast immer auf das Vorhandensein von Arsen schließen lasse; wenn man dann noch den Marshschen Spiegel finde, so habe man alle Beweise, die man brauche ...

Anna Äbi ... Anna Hungerlott-Äbi ... Ihre Wäsche roch nach Knoblauch ... Aber das braune Papier, das an einen gewissen Wottli adressiert war, roch auch nach Knoblauch ... Wottli – ein Lehrer der Gartenbauschule Pfründisberg.

In Studers Kopf war eine große Verwirrung: Der »Chinese« lag auf dem Grab der Anna Hungerlott-Äbi, sein Kittel, sein Mantel, sein Gilet waren unversehrt und zugeknöpft und dennoch, dennoch hatte ihn eine Kugel ins Herz getroffen ... Der Schlafanzug des Toten war im Schrank eines Gartenbauschülers gefunden worden – verpackt in ein Papier, das nach Knoblauch roch. Und gestern abend? Warum traktierte der Notar Münch, der beim Hausvater zu Gast war, seinen Freund Studer mit Fußtritten in die Schienbeingegend? Drei Fußtritte! Nur weil der Wachtmeister vom Tode der Frau Hungerlott gesprochen hatte.

Wottli ... Wottli ... Warum verfolgte Studer dieser Name? Nur weil er auf dem sonderbar riechenden Packpapier stand? Man mußte feststellen, ob der Güggel sich wirklich vergiftet hatte. Nicht einmal das war sicher, denn es schmeckte allzusehr nach einer überspannten Theorie. Obwohl – und dies durfte man nicht vergessen – die Wirklichkeit manchmal viel unglaubwürdiger ist als die Produkte der Phantasie.

Vielleicht war der Notar Münch auf einer Spur, vielleicht wollte er den Privatdetektiv spielen, weil er einem Giftmord auf der Spur war?

Plötzlich riß der Wachtmeister aus der Innentasche seiner gefütterten Lederjoppe eine Zeitung. Ein Blatt benutzte er, um die drei Nastücher einzupacken, ein zweites und ein drittes, um den toten Güggel dareinzuschlagen. Zwar mußte er schier einen Kampf mit dem Trili-Müetti ausfechten, denn die Alte wollte die Leiche ihres Freundes nicht hergeben. Aber endlich hielt Studer drei Pakete in den Armen, und die Art, wie er sich davonmachte, war fast eine Flucht zu nennen ...

Die drei Armenhäusler starrten ihm nach. Als er die Straße erreichte, die nach der Wirtschaft »Zur Sonne« führte, blickte er sich um: Längs der Grenze, welche die Gartenbauschule von der Armenanstalt trennte, standen zwei Dutzend Burschen. Sie lachten mit weit aufgerissenen Mäulern, sie schlugen sich auf die Schenkel, sie deuteten mit gereckten Zeigefingern auf den laufenden Fahnder und ein magerer Mann, der etwas abseits von der Horde stand, groß und glattrasiert war er (»Sicher der Lehrer Wottli!« dachte Studer), vermochte nicht, die Höhnenden zu beruhigen. Wieder brach die Sonne durch, sie beleuchtete die Front der Schule – an der äußersten Ecke war ein Fenster geöffnet und zwei Köpfe hoben sich ab ... Auch von dort klang Lachen, höhnisches Lachen. Das Knechtlein und sein Stiefbruder verspotteten den Fliehenden ... »Wartet nur!« brummte Studer. »Euch will ich!« Er bog um die Ecke der Wirtschaft, hastete die Treppe hinauf, betrat das Gastzimmer und ließ sich auf einen Stuhl fallen. Das Huldi stand hinter dem

Schanktisch. Der Wachtmeister wischte sich die Stirne, bestellte ein großes Bier und verlangte eine lange, dicke Schnur. Als er sie erhalten hatte, schlug er sie um die drei Päckli, die vor ihm auf dem Tische lagen. Und sobald diese komplizierte Arbeit beendet war, stand er auf und verließ den Raum. Die Saaltochter hörte noch das Knattern des angelassenen Motors – Wachtmeister Studer fuhr nach Bern...

In der Bundesstadt

Als der Wachtmeister durch Burgdorf fuhr, kam es ihm auf einmal in den Sinn, daß er vergessen hatte, die Bekanntschaft des Lehrers Wottli zu machen. Und noch etwas anderes war ihm entfallen: er hätte mit seinem Freunde, dem Notar Münch aus Bern, sprechen müssen; es wäre notwendig gewesen, diesen juristisch geschulten Mann über das Testament, über das Vermögen des Ermordeten auszufragen. Wenn dieser Lehrer Wottli auch beschenkt worden war, dann tauchte in diesem Falle plötzlich eine unbekannte Person auf, die nicht weniger verdächtig war als beispielsweise der Gartenbauschüler Ernst Äbi; dieser hatte des toten »Chinesen« blutbefleckten Schlafanzug in einem Schranke versteckt, der die Nummer sechsundzwanzig trug... Sechsundzwanzig... zweimal dreizehn!... Warum diese Zahl? Studer schüttelte den Kopf, vielleicht weil er die abergläubischen Gedanken, die sich mit Zahlen beschäftigten, vertreiben wollte; – vielleicht weil der Regen, welchen der Wind ihm ins Gesicht peitschte, seinen Wangen, seiner Nase Schmerzen zufügte.

Er wußte, daß die Leiche des Farny James ins Gerichtsmedizinische geschafft worden war, darum bog er nach dem Bahnhof rechts ab. Dr. Malapelle, den er von einem früheren Falle her kannte, empfing ihn mit einem Schwall von Begrüßungsworten. An der Leiche des Erschossenen, teilte der Assistent mit, sei nicht viel festzustellen gewesen. Studer verlangte, den Toten noch einmal zu sehen, und wurde in einen grellweißen Raum geführt. Das Gesicht des »Chinesen« schien Hohn auszudrücken, vielleicht weil der Schnurrbart nicht mehr die Lippen verdeckte und man somit die Mundwinkel sehen konnte, die, abfallend, gegen das knochigharte Kinn wiesen.

»Ich will Sie mit technischen Ausdrücken verschonen, Ispettore... Die Kugel hat das Herz durchschlagen, der Mann war tot auf der Stelle.«

»Hat er viel Blut verloren?«

»Sicuro! Innere Verblutung war es keine.«

»Auf welche Distanz wurde geschossen?«

»Das ist zu schätzen sehr schwierig... Molto difficile... Keine Deflagrationsspuren... Wahrscheinlich vier oder fünf Meter.«

»Und das Kaliber?«

»Schätzungsweise sechs fünfunddreißig.«

»Was?« Studer blinzelte erstaunt. »Das war ja eine winzige Kugel. Wissen Sie, Dottore, daß man neben der Leiche einen großkalibrigen Revolver gefunden hat, einen Colt, fast ein Taschenmaschinengewehr – und daß auch aus dieser Waffe ein Schuß abgefeuert worden ist?«

Dr. Malapelle nannte den Wachtmeister nur dann »Ispettore«, wenn er mit ihm zufrieden war. Wenn er sich jedoch über Studer ärgerte, wechselte er die Anredeform und nannte ihn »sergente«, ein Wort, das er mit rollendem »r« aussprach.

»No, Sergente!« sagte der Assistent. Und dann gipfelte er, behauptend, der Wachtmeister sei kein guter, sei kein intelligenter Kriminalist – denn ein solcher hätte schon an der Einschußöffnung erkannt, daß eine kleinkalibrige Waffe an dieser Wunde schuld sei.

Studer kratzte sich am Nacken, und rund um seine spitze Nase runzelte sich die Haut. Er war verlegen und wütend auf sich, weil er die Untersuchung der Leiche nicht genauer vorgenommen hatte. Aber schließlich – ein Fahnderwachtmeister braucht nicht die Kenntnisse eines Arztes zu besitzen, und es wäre die Pflicht des seit langer Zeit nicht geschorenen Mediziners von Pfründisberg gewesen, ihn auf diesen Widerspruch aufmerksam zu machen. Studer hob die Achseln und ließ dann seine Hände gegen die Oberschenkel klatschen.

Aber plötzlich besann er sich an das verschnürte Paket, das er hinten auf dem Soziussitz seines Töffs befestigt hatte. Er kehrte der Leiche des »Chinesen« den Rücken, sprang zur Tür, wo er noch einmal den Kopf wandte, um dem Assistenten zuzurufen, er möge droben im Labor auf ihn warten. Er habe ein paar Dinge mitgebracht, deren Analyse ihm notwendig scheine.

»Bene, bene, Ispettore«, sagte Dr. Malapelle, nun ganz versöhnt. Der Mailänder hatte für diesen Fahnderwachtmeister eine große Sympathie, und zwar weil dieser Mann, dessen massiger Körper fast bäuerlich wirkte, so ausgezeichnet italienisch sprach. Und nicht nur das: er stellte keine langweiligen Fragen, sondern war in vielen wissenschaftlichen Dingen beschlagen.

Studer aber erreichte das Laboratorium im zweiten Stock nach kurzer Zeit. Er schnaufte, denn er hatte die Treppe, immer zwei Stufen auf einmal nehmend, erstiegen.

»Hier, Dottore«, sagte er, legte das Päckli auf einen Tisch, zog sein Militärmesser und durchschnitt damit die Schnur.

»Un gallo!« rief der Assistent aus und wog den Güggel in der Hand. »Aber warum? Wozu, Ispettore?«

»Sezieren!« befahl Studer. »Und dann: Eingeweide untersuchen. Ich glaube, Sie werden Arsen finden. Hernach hab' ich noch das (er zeigte die drei Taschentücher) und dies hier (er wies auf das braune Packpapier, das Wottlis Namen trug) und endlich einen Schlafanzug.«

Dr. Malapelles farbige Krawatte bildete zwischen den Spitzen seines steifen Kragens einen winzigen Knoten. Der Assistent hielt dies Knötlein zwischen Daumen und Zeigefinger, während er erstaunt die vielen Gegenstände betrachtete.

»Auf Arsen? Auf A-Es?« fragte er, die chemische Bezeichnung für dieses Element gebrauchend.

»Jawohl«, nickte Studer. »Auf ›A-Es‹.«

Der Italiener zog eilig seinen Kittel aus, fuhr in einen weißen Labormantel – und begann geschäftig zu tun. Hansli, der geflügelte Freund der alten Armenhäuslerin wurde mit einer Lanzette geöffnet, der Inhalt des Kropfes in einen Kolben getan, mit Wasser bedeckt. Die Flamme des Bunsenbrenners leckte wie eine bläuliche Zunge an dem Drahtnetz, auf dem die Kugel des Kolbens lag, das Wasser begann zu sieden, der Hals, der mit feuchten Tüchern umhüllt war, füllte sich mit Dampf. Nun drehte Giuseppe Malapelle das Gas ab, der Bunsenbrenner zog seine Zunge zurück, nun wurden die feuchten Tücher entfernt: der Marshsche Spiegel war deutlich.

»Hmmm«, brummte Studer langgezogen. »Vergiftung eines Hahnes, wie?«

»Senza dubbio«, nickte der Assistent. »Ohne Zweifel.«

Jetzt kamen die Taschentücher an die Reihe. Auch an ihnen war Arsen nachzuweisen. Dann das Packpapier – der Arsenspiegel glänzte. Und Studer war verwirrt. Seine Verwirrung aber steigerte sich, als zum Schlusse der Schlafanzug des verstorbenen Farny James untersucht wurde. Die Hosen waren während einer halben Stunde in Wasser gelegen, und als dies Wasser nun im Kolben erhitzt wurde, blieb der Schnabel rein. Einzig Tropfen setzten sich an der Innenwand fest – aber kein glänzender Spiegel bildete sich. Als dann die Flüssigkeit erhitzt wurde, in der die Jacke des Pyjamas fast dreiviertel Stunden lang eingeweicht worden war, bildete sich nur ein durchsichtiger Hauch, der kaum glänzte, und Dr. Malapelle meinte, das braune Papier, welches diesen Stoff eingehüllt habe, sei an der schwachen Reaktion schuld.

Als Studer seine Uhr zog, wurde es ihm klar, daß er den armen Mann allzulange aufgehalten hatte – um halb zwölf hatte er das Gerichtsmedizinische betreten, und nun war es schon über zwei. Darum tat der Wachtmeister das einzig Vernünftige und lud den Italiener zum Essen ein. Das Töff ratterte durch die Stadt. Dr. Malapelle saß auf dem Soziussitz und schrie dem Wachtmeister von Zeit zu Zeit treffende Bemerkungen ins linke Ohr. Frau Hedwig Studer aber war an die stets wechselnden Essensstunden ihres Mannes gewöhnt, hatte den Tisch gedeckt und brauchte nicht lange, um für einen Dritten nachzutischen.

Der Assistent rührte mit dem Löffel in der Fleischsuppe,

rühmte ihren Duft, bis Studer diesem Loben ärgerlich Einhalt gebot. Nicht um unnötige Schmeicheleien zu hören, sagte er, habe er den Dottore zum Mittagessen eingeladen, sondern um mit ihm zu diskutieren ...

»Jetzt diskutiere ich nicht, jetzt esse ich!« schnitt der Assistent diese Predigt ab.

Erst beim schwarzen Kaffee ließ er Studer endlich zu Worte kommen. Des Wachtmeisters Frau aber verzog sich in die Küche; sie müsse das Geschirr waschen, sagte sie, und sie begehre nicht wieder eine Mordgeschichte erzählen zu hören. Eigentlich sei es ein Jammer, mit einem Fahnder verheiratet zu sein, immer komme so ein Mann zu spät zum Essen, und dann habe er nichts als Todesfälle oder Diebstähle oder Raubmorde im Kopf.

»Diesmal ist es kein Raubmord«, sagte Studer ärgerlich und begann den Fall des »Chinesen« aufzurollen. Er erzählte von dem Erschossenen, der auf einem Grabe gelegen sei – und der Mörder habe offenbar einen Selbstmord vortäuschen wollen. Jedoch sei ein solcher unmöglich, da nicht nur die Kleider des Toten unversehrt und zugeknöpft gewesen seien, trotz des Herzschusses, sondern da auch, nach Meinung des Doktors Malapelle, der Schuß in einer Entfernung von mindestens vier Meter abgegeben worden sei ...

»Erinnern Sie sich noch, Malapelle, an jenen Fall, der in Gerzenstein passiert ist – damals haben wir einander kennengelernt. Damals war es das genaue Gegenteil. Ein Selbstmord wäre möglich gewesen, weil der Witschi den Lauf der Waffe mit Zigarettenblättli vollgestopft hatte, um die Deflagrationsspuren zu verdecken. Und schließlich fand ich heraus, daß ein anderer von mindestens zwei Meter Entfernung auf den Toten geschossen hatte, während alle im Dorfe glaubten, es sei ein Selbstmord gewesen. Sogar der Untersuchungsrichter, der damals den Fall behandelt hat, meint dies heute noch, und außer Ihnen und mir, Dottore, weiß nur noch eine Frau, was in Wirklichkeit passiert ist.«

»Der Fall Witschi«, nickte der Italiener.

»Diesmal ist es noch ärger«, seufzte Studer. »Nicht nur ein Familienname endet mit einem i, sondern gleich drei. Äbi, Wottli, Farny ... Farny hieß der Tote. Und Wottli ist Lehrer an einer Gartenbauschule, seine Mutter wohnt in Bern und das braune Papier, an dem Sie Arsen nachgewiesen haben, brauchte die Mutter, um ihrem Sohne darin wahrscheinlich Wäsche zu schicken. Warum kann man an diesem Papier, an diesem braunen Packpapier Arsenspuren nachweisen? Wenn Sie mir diese Frage beantworten könnten ...«

»Pazienza! Geduld«, predigte Giuseppe Malapelle: dann wollte er wissen, was es mit dem Hahne und mit den Taschentüchern für eine Bewandtnis habe. Studer erzählte, was an diesem Morgen geschehen war.

»Vielleicht«, meinte darauf der Assistent des Gerichtsmedizinischen Institutes, »sind Sie ganz auf dem Holzweg, Ispettore. Sie dürfen eines nicht vergessen, daß der ganze Fall in der Nähe einer Gartenbauschule spielt.«

»Was hat eine Gartenbauschule mit Arsen zu tun?«

»Sehr viel. Erstens wird in solch einer Schule sicher ein Chemiekurs gegeben ...«

»Ah!« sagte Studer erstaunt. »Stimmt. Der Wottli ist

auch Chemielehrer, das hat mir der Direktor heut morgen gesagt...«

»Sehen Sie. Und zweitens wird den Schülern in solch einer Schule sicher beigebracht, wie man Ungeziefer an Pflanzen vernichtet. Die Mittel, die zur Schädlingsbekämpfung verwendet werden, sind allesamt giftig. Gegen Läuse braucht man Nikotin, und zur Raupenvernichtung Arsenpräparate. Vielleicht hat der Lehrer – wie nannten Sie ihn? Wotschli? Namen haben Sie in der Schweiz! – Wie? Ah, Wottli, gut; vielleicht hat der Lehrer Wottli das Paket irgendwo, im Magazin vielleicht, wo die Mittel zur Schädlingsbekämpfung aufbewahrt werden, geöffnet – das Papier ist mit einer solchen Materie in Berührung geraten – und daher haben wir den Marshschen Spiegel entdeckt. Verstanden? Ja?«

Studer nickte. Die Erklärung ließ sich verteidigen, vielleicht stimmte sie sogar – das einzige, was ihr widersprach: die Taschentücher der verstorbenen Frau Hungerlott. Diese waren sicher nicht mit einem Mittel zur Bekämpfung von Raupen in Berührung geraten. Der Wachtmeister widersprach daher dem Assistenten, und dieser zuckte mit den Achseln.

»Sie müssen weiter suchen, Ispettore; Sie müssen gehen und besuchen die Mutter Wottli und suchen nach der Mutter von Frau Direktor Hungerlott und Schüler Ernst Äbi, welcher gewesen ist der Bruder, nicht wahr?« Studer nickte. »Vielleicht finden Sie bei beiden Müttern Wichtiges. Hernach Sie müssen zurückfahren nach Fründisbergo, denn dort werden Sie finden die Lösung – wie damals, bei unserem ersten Fall. Da war Lösung auch im Dorf. Und vergessen Sie eine Zeitlang das A-Es...«

Während sich der Assistent draußen von Frau Hedwig verabschiedete, blieb Studer in seinem Lehnstuhl sitzen. Er hatte die Hand über die Augen gelegt, schlief aber nicht, sondern grübelte. Was bedeuteten wohl die Fußtritte, mit denen ihn sein Freund Münch bedacht hatte?

Zwei Mütter

Studer erhob sich und ging ins Schlafzimmer, denn das Telephon stand auf dem Nachttisch, neben seinem Bett. Er nahm den Hörer ab und stellte die Nummer des Postscheckbüros ein. Er mußte warten. Endlich, nach zehn Minuten, wurde ihm wieder angeläutet und er erfuhr, die Höhe des Depots von James Farny sei 6325 Fr. Allerhand... Von welcher Bank überwiesen? – Crédit Lyonnais... – Nun läutete Studer die Filiale dieses französischen Bankinstitutes in Bern an. Und da erlebte er eine Überraschung. Er hatte gefürchtet, er würde Schwierigkeiten haben – wegen des Bankgeheimnisses. Gerade das Gegenteil ereignete sich. Herr Farny habe Instruktionen hinterlassen: Anfragen der Polizei über sein Vermögen seien sogleich zu beantworten. Der Sicherheit halber – bitte man Herrn Studer, abzuhängen – man werde sogleich wieder anläuten. An seine Privatadresse? Jawohl... Dann: Das Depot bestehe aus 100 000 amerikanischen Dollars, 10 000 englischen Pfunden. Außerdem habe Herr Farny noch ein Safe gemietet, das Edelsteine enthalte. Diamanten, Smaragde, Rubine.

Vorsichtig und respektvoll legte Studer den Hörer wieder auf die Gabel. In einer Zeitung suchte er nach dem Stande der ausländischen Devisen... Das Pfund stand auf fünfzehn Komma null drei, der Dollar auf drei fünfundzwanzig... Allerhand! Der »Chinese« hinterließ ein Vermögen von rund einer halben Million Schweizerfranken. Ohne den Inhalt des Safes, der ungefaßte Edelsteine enthielt...

Etwas wie Ekel stieg in Studers Hals auf. Plötzlich ging ihm dieser Fall auf die Nerven. Was?... Es handelte sich nur um eine simple Erbschaftsangelegenheit? Und wenn man den glücklichen Erben – besser: *die* glücklichen Erben – entdeckt hatte, dann kannte man den Schuldigen? Chabis! Dann – eben dann hatte man den Schuldigen noch lange nicht... Nein, der Fall wurde immer uninteressanter. Denn einem Menschen mit einem geringen Gehalt, dem es während seines Lebens nicht immer gut gegangen ist, macht es nie große Freude, für andere Leute ein Vermögen zu retten... Und schließlich – wer würde das Vermögen des »Chinesen« nun einsacken?

Der Wachtmeister hockte auf dem Bett, und der trübe Tag draußen ließ nur eine matte Dämmerung ins Zimmer sickern. Studer ballte die Hand, hob seine Faust vor die Augen und reckte zuerst den Zeigefinger: »Erstens: die Schwester...« murmelte er. Der Mittelfinger schnellte auf: »Zweitens: ihr unehelicher Sohn – das Knechtlein...« Der Ringfinger kam an die Reihe: »Drittens – der Äbi Ernst, Gartenbauschüler. Viertens seine Schwester, die Frau des Hungerlott...« Studer starrte auf seine Hand, nur der Daumen haftete noch am Ballen... Nun schnellte dieser zur Seite und stand rechtwinklig zur Fläche... »Und der Gatte? Der Gatte der Tochter? Der Hausvater des Pauperismus? He? Und der Maurer Äbi... Die Finger langen nicht!«

»Köbi, woscht nit es Taßli Gaffee?« fragte Frau Hedwig unter der Tür.

»Nei!« fauchte der Wachtmeister wütend. Er ging zum Kleiderständer, zog Kittel und Mantel an, riß die Wohnungstür auf. Doch als er sie hinter sich zuschmettern wollte, ergriff ihn Reue. – Wahrscheinlich komme er erst am Sonntag zurück, sagte er leise und freundlich. – Es sei ein verteufelter Fall ... Frau Studer nickte traurig ... Am Sonntag? Heute war erst Donnerstag. »Leb wohl, Hedy ...« Und der Wachtmeister schloß vorsichtig die Türe.

Er stieg auf sein Töff und fuhr in die Aarbergergasse 25; er wollte über den Lehrer Wottli Bescheid wissen, weil dieser Mann einmal ein Packpapier besessen hatte, an dem Arsenspuren nachzuweisen gewesen waren ...

Die Dreizimmerwohnung lag im ersten Stock und war peinlich sauber. Eine Frau, die trotz ihrer weißen Haare noch jung schien (ihr Gesicht war faltenlos), schlurfte in Filzpantoffeln über das glänzende Parkett. Schon an der Türe begann sie zu sprechen, und nichts konnte diesen Redefluß dämmen. Sie bediente sich eines merkwürdigen Basler Dialekts, der mit bernischen Brocken gewürzt war – denn seit langem hatte sie wohl ihre Heimat verlassen. Sie rühmte ihren Sohn. – Was der für ein Kluger sei und ein Gescheiter ... Oooh ... Als einfacher Handlanger habe er in einer Gärtnerei angefangen – und nie eine Lehre durchgemacht, denn damals sei gerade der Vater gestorben und kein Geld im Haus gewesen. Jäjä ... Mit sechzehn Jahren habe der Paul angefangen und dann alles gelernt, denn er habe oft die Stelle gewechselt. Zuerst Baumschule, dann Gemüse, dann Rosenkultur, endlich Landschaftsgärtnerei – ob der Herr Wachtmeister wisse, was das heiße, auf Landschaft arbeiten …? Nicht …? Nun, das sei die Anlage von neuen Gärten … Jojo … Pläne habe der Paul gemacht! Dann sei er nach Deutschland, in die Nähe von Berlin, um sich in der Staudenkultur auszubilden … Denn – nid woohr – in den neuen Gärten würden jetzt nicht mehr Rabatten angelegt, sondern Stauden, Delphinium und Iris, und Narzissen und Phlox und Astern und wie all die Pflanzen hießen … Nach den Stauden sei der Paul nach Stuttgart und habe im Palmenhaus des Königlichen Schlosses sich auf Orchideenkultur spezialisiert … »Nehme Sie Platz, Herr Wachtmeister …« Und ob er nichts trinken wolle?

Studer schüttelte den Kopf, er wollte eine Frage stellen, aber schon rauschte der Strom weiter: – Ja, in Orchideenkultur …! Und an den Abenden habe er Bücher gelesen, bis er genug gelernt habe, um Artikel schreiben zu können – joojoo – wissenschaftliche Artikel in Fachzeitschriften, in botanischen Blättern …

Dem Wachtmeister brummte der Kopf. Man mußte die alte Frau mit den schönen weißen Zähnen weiter erzählen lassen …

Dann sei der Paul in die Schweiz zurückgerufen worden zu einem reichen Herrn, der ein Schloß besessen habe am Thunersee … Drei Arbeiter habe Paul unter sich gehabt und die hätten schaffen müssen – er selbst sei mit dem guten Beispiel vorangegangen und habe manchmal vierzehn Stunden im Tag gearbeitet. Dann sei der reiche Herr gestorben und habe dem Paul als Dank für seine Arbeit Geld vermacht …

»Wieviel?« Studers Frage zerschnitt die lange Rede. Aber selbst dies war unfähig, der Rede Einhalt zu tun.

– Fünftausend Franken! Jojojo! Fünftausend Franken! Ein kleines Vermögen, und gleich darauf sei der Paul von der Berner Regierung gewählt worden: als Lehrer an die Gartenbauschule Pfründisberg ... Oooh! Und beliebt sei der Sohn bei seinen Schülern! Manche – die vom Jahreskurs zum Beispiel –, aber selbst die anderen, die nur den Winterkurs mitmachen täten, selbst diese könnten einfach später den Paul nicht vergessen, wenn sie wieder irgendwo eine Stelle hätten. So beliebt sei der Paul. In allen Sachen kenne er sich aus – in Düngerlehre, in Baumschnitt, in Treibhaus ... Überall, ja, überall sei er daheim, der Paul ...

»Auch in Chemie?« Die zweite Frage klang ebenfalls wie ein scharfer Pfiff.

– Natürlich, natüürlig ... Und weiter prasselten die Worte, sie erinnerten an Regentropfen, die an Fensterscheiben trommeln ... Studer neigte den Kopf; er saß in einem Fauteuil, der mit rotem Plüsch überzogen war und dessen Armstützen sicher jeden Tag mit Wichse poliert wurden. Als die Mutter endlich schwieg, erkundigte sich der Wachtmeister, sehr sorgsam und sehr vorsichtig, was denn das Paket enthalten habe, das Frau Wottli ihrem Sohne geschickt habe.

– Eh, Bücher! Vor fünf Tagen habe sie dem Paul Bücher geschickt. Und warum der Herr Wachtmeister dies wissen wolle?

»Numme süscht ...« – Und ob der Paul befreundet gewesen sei mit einem gewissen Farny, der in Pfründisberg ein Zimmer in der Wirtschaft »zur Sonne« bewohnt habe ...?

– Farny? Aber nadirlig! Einmal sei der Herr Farny – der Herr Wachtmeister meine wohl den Herrn Farny, der gestern morgen tot aufgefunden worden sei, nid woohr? – Also, dieser Herr Farny habe ein Haus bauen wollen – in Pfründisberg – und den Sohn gefragt, ob er nicht den Plan für den Garten machen wolle... Pläne mache der Paul! Wunderbare! Der Stadtgärtner selbst sei manchmal ganz erstaunt darüber, was der Paul alles könne, und er habe ihm gesagt, daß er während seiner Ferien in der Gartenbauschule unbedingt einmal nach Bern kommen müsse, um bei den Anpflanzungen im Botanischen Garten mitzuhelfen... Ja, das sei... Aber sicher habe der Herr Studer jetzt großen Durst, was er gerne trinken wolle? Sie habe einen extra guten Erdbeerschnaps, mit einer ganz neuen Sorte gemacht, die der Paul in Pfründisberg gezüchtet habe. Ob der Gast diesen Likör kosten wolle?

Der Wachtmeister nickte, dankte und sagte, er wolle am Abend nach Pfründisberg zurückfahren.

Frau Wottli ging in die Küche, kam mit einer Flasche zurück, füllte zwei Gläser und stieß mit dem Wachtmeister an.

Gerade als Studer sein Glas auf das runde Tischchen zurücksetzte, begann irgendwo im Hause Lärm. Sie lauschten – Stühle fielen um, Teller zerbrachen knallend auf dem Boden; der ganze Krach erweckte den Eindruck, als praßle ein Hagelwetter ins Zimmer. Und an dies sommerliche Gewitter mußte man deshalb denken, weil der Lärm sicher aus dem zweiten Stock kam...

»Wer wohnt dort?« fragte Studer und wies mit dem Daumen nach der Zimmerdecke.

Nun schrie eine Frauenstimme, laut und klagend –.

Mutter Wottli aber schüttelte den Kopf: Der Äbi sei aber heut früh heimgekommen, meinte sie. Und sicher habe der Mann wieder getrunken. Jetzt prügle er seine Frau ...

»Äbi?« fragte der Wachtmeister. »Haben die Leute etwa Kinder?« – »Ja.«

»En Sohn und e Tochter ...« Die Tochter habe geheiratet und eine glänzende Partie gemacht, der Mann sei ein höherer Staatsangestellter – aber was habe es der Anna genützt? Nichts! Sie sei vor kurzer Zeit gestorben. Der Sohn tauge nicht viel; als Handlanger habe er sein Leben vertrödelt und erst jetzt, mit fast dreißig Jahren, sei es ihm gelungen, in Pfründisberg einzutreten ... Nur weil ein reicher Onkel aus dem Ausland ihm geholfen habe ...

»Und der Vater?«

– Seit einem Monat habe ihm die Fürsorge eine Aushilfsstelle in einer Kohlenhandlung verschafft ... Dort verdiene er einen Franken Stundenlohn ...

»Nid viel ...«, meinte Studer.

... Nei, nei. Aber er mache oft blau, der Arnold Äbi, und nicht nur am Montag. Sicher habe er seine Arbeit heute schon um drei Uhr verlassen, um trinken zu gehen. »Ja, er ist ein anderer Mann als mein Paul. *Mein* Sohn trinkt nicht.«

Der Wachtmeister blickte die alte Frau fest an. Rechts neben ihrer Nase tanzte ein Leberfleck auf und ab, wie ein brauner Angelkorken auf fließendem Wasser. Immer deutlicher sah Studer das Bild des Lehrers Wottli – und die Tatsache, daß der Mann ein »Wissenschaftler« war, gab den letzten Tupfen. Der Wachtmeister hatte in seinem Leben viele Menschen kennengelernt, die ihr Wissen aus Büchern – meistens aus einem Konversationslexikon – erlernt hatten

(»Autodidakten« nannte man sie), und gewöhnlich trugen diese Leute ihre Überzeugung wie einen unsichtbaren Helm auf dem Kopf. Sie wußten in allem und jedem Bescheid – aber jeder ihrer Gedanken war falsch. Sie glaubten sich allwissend, sie waren stolz – und oft, nur allzuoft trieb sie dieser Stolz auf einen falschen Weg. Glücklich waren sie selten ... Gehörte der Lehrer auch zu diesen Leuten? Einmal schon hatte er fünftausend Franken geerbt – hoffte er diesmal auf eine größere Summe? Der Wachtmeister seufzte, weil sein friedlicher Sinn sich nicht gerne mit nutzlosen Streitigkeiten abgab – und solche Streitigkeiten standen ihm bevor; bei der ersten Unterredung mit dem Gartenbaulehrer würden sie erscheinen ... Über seinem Kopfe weinte die Frau lauter, Klatschen war zu hören.

Und Jakob Studer nahm Abschied. Aber es gelang ihm trotzdem nicht, den Arnold Äbi kennenzulernen. Als er im Stiegenhaus stand, hörte er das Haustor unten ins Schloß fallen und im oberen Stockwerk ein Stöhnen. Leise schlich er die Treppen hinauf – von Frau Wottli hatte er nichts zu fürchten, denn sie war ins Wohnzimmer zurückgegangen. Vor der angelehnten Türe lag der Körper einer Frau; die Haare, die wirr vom Kopfe abstanden, waren kurz geschnitten und von fettiggrauer Farbe. Sie trug ein schwarzes Baumwollkleid ... eine blaue Schürze ... Die Füße steckten in braunen Halbschuhen, und die Absätze trommelten auf die roten Fliesen. Über dem verschmierten Klingelknopf am Türpfosten war mit einem Reißnagel ein Visitenkärtlein befestigt:

Arnold Äbi
Maurermeister

Studer bückte sich, schob seine Arme unter den zitternden Körper, richtete sich auf und trat in die Wohnung. Ein Gang – kein Teppich auf dem staubigen Parkett... Ein Zimmer – sauber, mit wenig Möbeln. Über dem Ehebett lag eine braune Decke, darauf legte er die Frau, die leise stöhnte. Sie war mindestens sechzig Jahre alt, die Stirn war hoch. Zwischen den halbgeschlossenen Lidern schimmerte die Hornhaut weiß. Die Lippen öffneten sich und ließen zwei Zähne sehen, die breit und lang und gelb waren – wie Roßzähne. Ein Stöhnen zuerst: »Aa-oo-aah!« Nun öffneten sich die Lider ganz, braun und glanzlos war die Iris, wie die Decke, auf welcher der Körper lag. »Wasser!« stöhnte die Frau. Studer trat auf den Gang, schloß zuerst die Wohnungstüre und ging dann in die Küche. Hier war der Boden mit Tellerscherben besät, an der Mauer lag ein Stuhl, der beide Vorderbeine gebrochen hatte; der Tisch war mit Papierfetzen, schmutzigen Gabeln und Löffeln bedeckt. An seinem Rand war ein Schraubstock befestigt, Studer berührte ihn – da blieben Eisenspäne an seinen Fingern kleben...

Ein Schraubstock... Eisenspäne... Was war hier gefeilt worden?

Der Wachtmeister spülte ein Glas, füllte es und kehrte dann ins Zimmer zurück. Die Frau streckte ihre Hand aus, trank das Wasser und ließ sich wieder zurückfallen.

»Wer seid Ihr?« fragte sie. Studer nannte seinen Namen.

»Was wollt Ihr?«

»Nüt Apartigs ...«

Die Frau schluckte, und ihr Adamsapfel rollte hin und her, wie ein steinernes Kügeli unter einem schlaffen Tuch. Es wurde langsam dunkel im Zimmer; plötzlich flammten auf der Straße die Laternen auf und klebten viereckige, gelbe Lichttücher an die Decke. Die Frau schwieg. Ihr Gesicht lag im Finstern; der Rock hatte lange Risse und ließ einen gemusterten Barchentunterrock sehen.

»Warum hat er Euch geschlagen?« fragte Studer.

Ein Seufzer. Die Nägel der linken Hand kratzten auf der Decke, sonst war kein Geräusch zu hören, denn die Straße unten war still. Dann antwortete die Frau mit einer Frage:

»Geht's Euch etwas an, wenn der Mann mich schlägt?« Sie lachte kurz und schrill.

»Helfen Euch die Kinder nicht, Mutter?« fragte der Wachtmeister. Das Wort »Mutter« brachte Leben in die Liegende. Sie sprang auf, setzte die Füße auf den Boden, schwankte zuerst ein wenig, als sie sich vom Bettrand abstieß, und ging dann sicher durchs Zimmer. Der Schalter knallte leise; dann blendete das Licht der Lampe, obwohl die Birne in einem blauen Kreppapier steckte.

»Die Kinder!« sagte die Frau und grub die Finger in ihr kurzgeschnittenes Haar. »Die Kinder!« wiederholte sie. »Ich habe eine Tochter gehabt – aber die ist gestorben. Ich hab zwei Söhne gehabt – aber der eine ist verschwunden und der andere will seine Mutter nicht mehr kennen, weil er seinen Vater haßt ... Ja, ja ...« Sie seufzte. »Er will seine Mamma nicht mehr kennen – er besucht lieber eine andere Mutter, die im gleichen Hause wohnt. Unten, dort unten ...« Sie wies mit dem Zeigerfinger auf den Boden. »Dort hockt er stundenlang – aber bei mir bleibt er nur fünf Minuten ...«

»Der Ernst?« fragte Studer.

»So? Hat er Ernst geheißen?« Ein Lächeln ließ den Mund noch größer scheinen, und die beiden Zähne packten die Unterlippe. »Jaja. Der eine hat Ernst geheißen und der andere Ludwig. Ernst Äbi der eine, Ludwig Farny der andere. Ich habe gehört, daß beide in Pfründisberg sind. Der eine in der Gartenbauschule, der andere im Armenhaus. Stimmt das, Herr ... Herr ...«

»Studer!«

»Richtig ... Stimmt das, Herr Studer? Oder ist der Ludwig noch im Thurgau?«

Der Wachtmeister überlegte: spielte die Frau Theater oder war sie wirklich krank? Vielleicht hatte sie Fieber, denn sie sah nicht gesund aus. Mager war ihr Gesicht, und rote Flecken glänzten über den Backenknochen. Sie begann zu husten, ging keuchend zum Nachttischli, zog die Schublade auf und kramte unter den darinliegenden Gegenständen. Plötzlich schrie sie auf.

»Was ist los?« fragte Studer.

»Nichts ... oh ... nichts!« Sie wurde bleich; einzig die winzigen roten Flecken über den Backenknochen blieben farbig.

»Vielleicht ... ich ... ich ... weiß nicht. Der Doktor hat mir Medizin verschrieben und die ist fort. Vielleicht hat sie der Noldi mitgenommen ... Aber wozu hat er sie wohl gebraucht, der Noldi?«

Es klang merkwürdig; wie konnte die Frau ihrem betrunkenen Manne, der sie grausam verprügelt hatte, einen zärtlichen Kosenamen geben? Er hieß Arnold – und sie nannte ihn noch immer Noldi ...

»Was war es denn?«

»Ein Beruhigungsmittel ...«, sagte die Frau. »Täfeli ... Weiße Täfeli ... Oder vielleicht hat die Frau Wottli die Medizin genommen? Ich hab' ihr einmal davon gegeben, vor einer Woche – und das hat ihr geholfen. Sie konnte schlafen, nachher. Und heut morgen hat sie mich besucht. Vielleicht ...«

Studer zog seine Uhr. Sechs Uhr! Er mußte sich beeilen, wenn er heut abend noch in Pfründisberg sein wollte. Darum verabschiedete er sich von der kranken Frau, versprach, bald wieder zu kommen, und fragte, ob er nicht Frau Wottli heraufschicken solle. »Damit Ihr nicht so allein seid, wenn es Euch schlecht geht. Und«, fügte der Wachtmeister fragend hinzu, »soll ich vielleicht in eine Apotheke gehen und Euch das Mittel holen, das Euch der Doktor verschrieben hat? Habt Ihr das Rezept noch?«

Die Frau schüttelte den Kopf. Das gehe nicht, meinte sie. Das Rezept habe der Apotheker behalten. Es sei ein Betäubungsmittel.

Betäubungsmittel? Studer pfiff leise. Schade, daß man nicht wußte, was der Arzt der Kranken verschrieben hatte. Es war zu spät, heute abend dem Arzte anzuläuten. Gewiß, man konnte schnell noch ins Amtshaus fahren und dort die nötigen Anweisungen geben. Aber Studer hatte keine Lust, dies zu tun. Wenn in einer Sache alles noch verworren war, so vermied er lieber, Kollegen zur Hilfe beizuziehen. Das ging, wenn man das Ende des Fadens in der Hand hielt. Aber es lohnte sich nicht, wegen eines fehlenden Betäubungsmittels große Geschichten zu machen. Denn in der Wohnung des ehemaligen Maurers herrschte so viel Unordnung, daß die Frau das Mittel ganz gut verlegt haben konnte. Er warf rasch einen Blick in die offene Schublade, sah viele Schächteli, gläserne Tuben, Fläschli: Herzmittel und Schlafmittel und Stärkungsmittel. Die größte Flasche nahm er in die Hand. Sie war leer. Er sah auf die Etiketten – »Gift« stand auf der einen; darüber eine andere: ein Totenkopf mit zwei Knochen. Endlich auf der größten: »Fowlersche Lösung«. Schon wieder ein Arsenpräparat!

»Wer hat die Flasche geleert?« fragte Studer.

»Ich«, sagte die Frau. Ihre Finger wühlten wieder in den kurzgeschnittenen, weißen Haaren.

Als Studer den Absatz des ersten Stockes erreichte, blieb er kurz vor Frau Wottlis Wohnung stehen. Er horchte. Eine Klingel schrillte drinnen, ein Knacken war zu hören, als der Hörer des Telephons abgenommen wurde...

»Ah... ja... Grüeß di Paul... Ja, er hat mich besucht. Heut nachmittag... Er ist schon lange fort, wird bald dort sein... Nein, nein... Nein! Ich war nicht oben bei der Äbi. Soll ich gehen?... Meine Zimmertür ist offen, ich will sie schließen gehen... Jaja! Ich geh schon.« Und Studer vernahm Schritte, die näher kamen – er wartete ruhig. Drinnen fiel eine Türe zu.

Und Studer verließ das kleine Haus.

Jaßpartie mit einem neuen Partner

Der Nebel war dicht. Eine Lampe brannte über der Türe, die in die Wirtschaft führte; ein wenig Licht fiel auf die Treppe, welche den Absatz mit der Straße verband. Und am Fuße dieser steinernen Leiter stand ein wartender Mann.

Sobald Studer den Motor abgestellt hatte, hörte er seinen Namen rufen. »Ja?« brummte er.

»Paul Wottli, Lehrer an der Gartenbauschule Pfründisberg.«

Studer zog den Wollhandschuh ab. Dann ärgerte er sich, denn der Mann, der sich vorgestellt hatte, schüttelte ihm nicht etwa die Hand, sondern reichte ihm nur drei Finger; den Ellbogen hielt er an den Körper gepreßt.

»Ich habe den ganzen Nachmittag auf Sie gewartet, Herr Studer«, sagte der Lehrer. »Den ganzen Nachmittag! Wie kommt es, daß Sie eine Untersuchung einfach fallen lassen, um nach Bern zu fahren? Ich dachte, die Aufklärung eines Mordes sei eine ernste Sache. Denn ich bin belesen, auch in diesen Dingen.«

Obwohl Studer an diesem Novemberabend bitter gefroren hatte – trotz seiner warmen Unterhosen und seines wollenen Pullovers –, obwohl er sich nach einem warmen z'Nacht sehnte und nicht gerade guter Laune war, mußte er doch über die Rede lachen.

»Und welche interessanten Werke haben Sie zu einem Sachverständigen in Kriminalistik gemacht, Herr Lehrer?«

»Nun, ich kenne Groß, ich habe Locard auf französisch gelesen, ich bin aufs Kriminalarchiv abonniert und ...«

»Das genügt, das genügt vollständig. Dann werden Sie auch verstehen, daß ich notwendigerweise in die Stadt mußte, um einige Erkundigungen einzuziehen.«

»Erkundigungen! Erkundigungen! Die nützen gar nichts, Herr Studer, wenn man nicht zuerst die schon gefundenen Prämissen logisch auswertet. Verstehen Sie? Ich finde es durchaus fehlerhaft, einen meiner Schüler unter die Aufsicht eines belasteten Armenhäuslers zu stellen und dann diese beiden in ein Krankenzimmer einzusperren. Deshalb habe ich mir erlaubt, den Ernst Äbi zu befreien, da ich ihn für eine wichtige Arbeit heute abend brauchte. Es war nötig, heute abend das Gewächshaus mit Blausäuregas zu füllen, um das Ungeziefer zu töten, das sich an meinen Orchideen und an meinen Palmenblättern gütlich tut. Darum habe ich meinen Schüler um halb sechs geholt – gerne hätte ich Sie zuerst um Erlaubnis gebeten, aber es pressierte, und darum handelte ich eigenmächtig. Nur schien es notwendig, Sie von diesem meinem Entschluß in Kenntnis zu setzen, um irgendeinen falschen Verdacht, der in Ihnen aufsteigen könnte, von vornherein aus dem Wege zu räumen. Verstehen Sie?«

Studer nickte, nickte ... Merkwürdig, wie alles stimmte. Prämissen ... Produkt ... Der falsche Gebrauch von Fremdwörtern ...

»Ich möchte gern zu Abend essen, Herr Lehrer«, sagte

Studer und bediente sich ebenfalls des Hochdeutschen. »Darf ich Sie zu einem Kaffee einladen? Bitte...«

Die beiden stiegen die Treppe hinauf. Unter der Türe empfing sie der Wirt und fragte, was der Wachtmeister essen wolle. Dann öffnete er die Türe in den Privatraum, in welchem das mit Aluminiumfarbe bestrichene Öfeli stand – es war geheizt und strömte wohlige Wärme aus. Hulda Nüesch brachte einen Grog, später das z'Nacht und für Herrn Wottli eine schwarze Brühe in einem hohen Glas.

Der Wachtmeister aß gemütlich und versuchte, trotz dem Geschwätz des Gartenbaulehrers, auf kurze Zeit den ganzen Fall zu vergessen. Vier Männer betraten die Stube, grüßten und setzten sich an einen Tisch nahe beim Fenster; Direktor Sack-Amherd, Hausvater Hungerlott, der Bauer Schranz und ein Unbekannter, dessen lange Nase wie verzeichnet aussah und rot glänzte.

»Guten Abend, Herr Äbi...« Der Lehrer stand auf, bot dem Rotnasigen zwei Finger und setzte sich dann wieder dem Wachtmeister gegenüber.

»Das ist der Vater meines Schülers«, flüsterte er, doch so laut, daß alle Anwesenden die Worte verstehen konnten. Studer brummte.

Dies also war der Mann, der sich auf seiner Visitenkarte »Maurermeister« nannte, seine Frau verprügelte und allzuviel trank. Wie war es dem Manne gelungen, so schnell nach Pfründisberg zu kommen? Um viertel nach fünf hatte er die Tür in der Aarbergergasse ins Schloß geworfen – und jetzt war er schon da. Wann hatte er Pfründisberg erreicht?

Es war der Hausvater Hungerlott, der die Erklärung gab. Während er ein Kartenspiel aufnahm und es zu mischen begann, erzählte er und deutete mit gerecktem Zeigefinger auf den Mann, der links neben ihm saß: Heute nachmittag sei er in die Stadt gefahren – Kommissionen, Bestellungen habe er machen müssen, da er am Samstag Besuch erwarte – Kommissionen für eine Kommission, hehehe, denn eine solche werde auf das Wochenende erwartet. Abgesandte der Sanitätsdirektion, Großräte, außerdem zwei Assistenzärzte von irgendeiner Pflegeanstalt kämen nach Pfründisberg, um sich über die Bekämpfung des ›Pauperismus‹ zu orientieren ... Ja! ... Darum sei er heute mit dem Auto nach Bern gefahren – und wen habe er um dreiviertelsechs vor dem Bahnhof getroffen? Den Maurermeister Äbi! Früher, ja früher, sei ein paarmal die Rede davon gewesen, den Äbi in Pfründisberg einzuquartieren – hehehe! Aber als der Hausvater ein Schwiegersohn besagten Äbis geworden sei, habe kein Mensch mehr daran gedacht, die Armenanstalt um einen Insassen zu bereichern ... Hungerlott schielte zum Wachtmeister hinüber, Sack-Amherd krempelte die Ärmel seines violett gestreiften Hemdes auf und warf dann einen Blick in das Kartenbündel, das vor ihm lag. Vater Äbi grochste, der Kartenfächer zitterte in seiner Hand – endlich krächzte er – denn seine Stimme war heiser – und hob den Kopf: »G'schobe!« Und der Bauer Schranz antwortete: »Schufle!«

Zwischen den beiden Fenstern, durch deren Scheiben die Holzläden grün schimmerten, hing eine Uhr. Sie schlug dreimal, und es klang, als sei die Glocke zersprungen. Studer blickte zu ihr empor: dreiviertel neun. Die Spieler jaßten weiter – Hungerlott und Sack-Amherd rasch und sicher, Äbi und der Bauer Schranz langsam und zögernd.

Bisweilen brach ein kleiner Streit los, weil sich der Maurermeister zu lange besann. Studer fragte sein Gegenüber:

»Um sechs Uhr haben Sie die Räucherung begonnen, nicht wahr? Und wann waren Sie fertig?«

»Ist das wichtig? Oder wollen Sie mich nur auf die Probe stellen? Wenn dies Ihre Absicht ist, so kann ich Ihnen ganz genau antworten: Um viertel nach sechs war alles beendet, ich verschloß hernach die Türe, die vom Gewächshaus in den Gang führt. Viertel nach sechs, achtzehn Uhr fünfzehn – wenn Ihnen dies lieber ist.«

Studer nickte, nickte. Er sog an seiner Brissago und las zerstreut im Abendblatt, das er in Bern gekauft hatte.

Der Bauer Schranz stand auf. Er müsse daheim nachschauen gehen, eine Kuh solle diese Nacht kalbern und ob der Wachtmeister ihn nicht vertreten wolle – eine Viertelstunde, länger würde es nicht dauern.

Studer nickte, setzte sich dem Rotnasigen gegenüber – Hungerlott war am Geben und Äbi mußte sagen, ob er selbst Trumpf machen oder schieben wolle. Es machte ihm Schwierigkeiten einen Entschluß zu fassen. Langsam breitete er die Karten aus, unordentlich standen sie dann zwischen Daumen und gekrümmtem Zeigefinger. Er fluchte, kratzte sich die Stirne, jammerte, behauptete, nicht zu wissen, was er machen solle, bis ihn Studer barsch anfuhr: er möge sich endlich entschließen. Den Wachtmeister traf ein giftiger Blick aus den kleinen Augen – glanzlos waren sie, wie die Augen seiner Frau – er maulte: »Ig tue schiebe . . .« – »Krüz!« sagte Studer. Denn er hatte in dieser Farbe die Stöck, das Zehni und Drüüblatt vom Achti . . . Dazu das Schaufelaß und zwei kleine Herz.

Sein Partner spielte aus – und Studer wunderte sich, denn statt eines Trumpfes warf dieser die Herzzehn auf das Deckli. Sack-Amherd nahm mit dem Aß, Studer stach mit dem Trumpfkönig und Hungerlott packte den Stich, weil er mit dem Trumpfaß überstochen hatte. Es wurde eine böse Partie. So laut war das Gelächter der beiden Sieger, daß der Wirt Brönnimann die Nase zur Tür hereinsteckte, der Lehrer Wottli Witze riß und die beiden Unterlegenen leise, aber überzeugt fluchten.

Obwohl der Wachtmeister fest behauptete, er jasse nur aus psychologischen Gründen, gewissermaßen, um den Charakter seiner Mitspieler zu ergründen, ärgerte es ihn doch – und heute abend besonders –, daß er verloren hatte. Nun mischte der ehemalige Maurermeister (war er nicht jetzt in einer Kohlenhandlung beschäftigt und machte blau – nicht nur am Montag?) die Karten und schon die Bewegungen, die er beim Austeilen machte, wirkten aufreizend. Er leckte seinen Daumen ab, klebte ihn auf die oberste Karte und zog sie dann vom Haufen ab, schleckte den Finger ein zweites Mal – für die nächste Karte – und so fort, bis das Spiel vergeben war. Hungerlott behauptete, er habe zehn Karten – und das Spiel mußte noch einmal ausgeteilt werden. Endlich stimmte es, und Sack-Amherd machte Trumpf. Plötzlich war Studers Ärger vergangen. Er starrte nur auf seinen Partner und verlangsamte das Spiel.

Vater Äbi zitterte ja! – Zwar, an diesem Zittern konnte der Alkohol schuld sein. Und doch! Und doch! Es war etwas anderes: Denn der Mann schien die ganze Zeit auf etwas zu warten. Seine Ohren waren groß und rot, die Muschel oben ganz flach, und senkrecht standen sie vom Kopfe ab. Diese Ohren verrieten, daß Äbi angestrengt lauschte, bald wandte er den Kopf der einen Türe zu, die auf den Gang führte, bald der anderen, die ins Nebenzimmer ging. Und er schloß dazu die Augen. Dies bewies, daß er auf ein Geräusch wartete... Was für ein Geräusch?

Studer machte einen kleinen Versuch. Nachdem er die eingeheimsten Stiche gezählt hatte, schnauzte er seinen Partner an: – Ob er denn nicht besser spielen könne? – So gut wie ein Schroter spiele er immer noch, war die Antwort.

»Eeh, tue nid eso!« sagte Hungerlott beruhigend. Dann wandte er sich an den Wachtmeister, um ihm zu erklären, er habe seinen Schwiegervater eingeladen, die Nacht über zu bleiben. Er habe ja genug Platz, jetzt, da seine Frau gestorben sei. Äbi könne im gleichen Zimmer schlafen, es stünden zwei Betten darin... Studer räusperte sich, sein Blick wanderte von einem zum andern, blieb dann am kriminalistisch geschulten Lehrer hängen. Wottli hatte beide Hände auf Äbis Schultern gelegt. Die langen, dünnen Finger gruben ihre Nägel in den Stoff der schmierigen Kutte.

Und plötzlich schien es dem Wachtmeister, als wiederhole sich der Abend des 18. Juli... Aus dem Nebenzimmer kam Lärm, Gläser zersplitterten; dann hörten die fünf des Wirtes Stimme um Hilfe schreien. Der Wachtmeister schob seinen Stuhl zurück, sprang zur Türe und riß sie auf.

Vier Männer in verschmierten blauen Überkleidern umstanden den Wirt, zwei hielten seine Arme gepackt – und in einer Ecke wehrte sich Huldi gegen drei andere Armenhäusler. Diese drei erkannte der Wachtmeister wieder – heut morgen hatten sie mit Reisbesen einen Bärentanz aufgeführt.

Studer handelte schnell; den Wirt befreite er, indem er die zwei, die ihn hielten, im Nacken packte und mit den Köpfen gegeneinanderstieß – da flohen die beiden andern. Mit denen, welche die Serviertochter hielten, verfuhr er gleich, nur der dritte, der das Huldi an den Haaren gezerrt hatte, konnte mit der Faust ausholen... Er wollte Studer eins auswischen, doch dieser konnte sich schnell bücken und die geballte Hand zerschlug eine Fensterscheibe. Dann verschwanden weitere vier, jeder rieb sich den schmerzenden Schädel und auch der letzte drückte sich, nachdem er seine blutende Hand mit dem Nastuch umwickelt hatte. Stille. Unter der Tür, die in Brönnimanns Privatraum führte, standen zwei Gestalten: Sack-Amherd ließ seine Uhrkette schwingen und Hungerlott spielte mit seinem Witwerring.

»Wo sind die anderen?«

»Sie sind grad fortgegangen, Herr Wachtmeister. Mein Lehrer hat gesagt, er wolle nachschauen gehen, ob in der Gartenbauschule alles in Ordnung sei.«

»Hmmm...« Studer hielt seine magere Nase zwischen Daumen und Zeigefinger und schien zu lauschen. Durch das zerbrochene Fenster hörte er einen merkwürdigen Laut, der klang wie das Murmeln einer Volksmenge. Als er die Flügel aufriß, sah er unten eine Versammlung. Etwa dreißig Gesichter wurden vom Lichte beschienen, das aus dem Zimmer quoll. Und diese Fratzen erkannte der Wachtmeister sogleich: Heute morgen hatten sie ihn ausgegrinst, als er aus dem Hofe der Armenanstalt geflohen war... Alle Schüler der Gartenbauschule schienen sich eingefunden zu haben und starrten zum Fenster empor.

Wieso kam es Studer vor, als sei das Ganze eine abgekartete Sache? Besser: eine einstudierte Komödie? Die Armenhäusler hatten doch keinen Grund, sich am Wirte und an der Serviertochter zu vergreifen! Es sah ganz so aus, als habe der Krach dazu gedient, die Gartenbauschüler herbeizulocken. Worauf hatte der Schwiegervater des Direktors sonst wohl gewartet? Was bedeutete sein Lauschen? Und: Warum hatte er in Wottlis Begleitung sogleich das Zimmer verlassen? Noch etwas fiel dem Wachtmeister auf, als er sich stumm aufs Fensterbrett lehnte: Das Erdgeschoß der Gartenbauschule war hell erleuchtet und rechts vom Hauptgebäude, etwa fünfzig Meter von ihm entfernt, schien ein Würfel, ein gläserner Würfel, zu glühen. Das Gewächshaus ...

Ängstlich suchte Studer die Fenster der Hausfront ab – im ersten Stock waren sie verdunkelt und geschlossen. Wenn man aber genauer hinsah, konnte man die Scheiben erkennen, denn sie warfen, spiegelnd, winzige Lichtfetzen zurück. Das letzte Fenster jedoch war offen und vom Sims bis zur Erde hing etwas Weißes, das im Föhnwind hin und her pendelte. Denn der zu Mittag eingeschlafene Wind war aufgewacht und hatte den Nebel vertrieben.

Als Studer wieder hinab zu den Schülern blickte, um Ernst Äbi zu finden, den er einem ehemaligen Armenhäusler zur Bewachung übergeben hatte, gelang es ihm nicht, den Verdächtigen zu entdecken. Doch plötzlich drängte sich eine neue Gestalt mühselig durch die Gruppe.

»Wachtmeister!« rief Ludwig Farny. »Wachtmeister Studer! Chömmed, chömmed! Der Brüetsch ligt im Gwächshuus!«

Gedankenverbindungen werden schnell geknüpft. Studer dachte: Gewächshaus – Ausräucherung – Blausäure ... Dann rief er dem Knechtlein zu, es solle zuerst heraufkommen. Er schloß das Fenster; in einer Ecke hockte die Serviertochter auf einem Stuhl, bleicher noch als sonst war die Haut ihres Gesichtes. Stockend fragte sie, ob dem Ludwig etwas passiert sei. »Nein!« brummte der Wachtmeister. »Dein Schatz kommt grad.« Ludwig! Immer der Ludwig! Die Tür zum Nebenzimmer war geschlossen, die Gangtür ging auf und das Knechtlein betrat den Raum.

Im Gewächshaus

Es ist nicht meine Schuld, Herr Studer! Er ist mir durchgebrannt, der Ernst! Ich weiß schon, ich hätt' aufpassen müssen, aber ich war so müd, Herr Studer, so müd! Den ganzen Tag hab ich mich geplagt, damit Ihr zufrieden seid. Ich bin eingeschlafen, Herr Studer, nachdem uns der Wottli wieder eingeschlossen hat. Auch der Ernst ist ins Bett und hat geschnarcht. Jetzt weiß ich, daß er sich nur verstellt hat – aber damals hab ich geglaubt, er schläft wirklich! *Wirklich!* Ich kann weiß Gott nichts dafür!«

Der Wachtmeister setzte sich rittlings auf einen Stuhl, legte die Unterarme auf die Lehne und schwieg. Wenn alles durcheinander ging, wollte er zuerst das Ganze in Ruhe überdenken, um nachher einen Entschluß fassen zu können. Um sechs Uhr hatte Paul Wottli mit dem Räuchern begonnen, um sechs Uhr fünfzehn war er fertig geworden. Gut. Dann führte er die beiden – übrigens warum hatte der Lehrer nur vom Ernst gesprochen und den Ludwig gar nicht erwähnt? – führte er also die beiden ins Krankenzimmer zurück und schloß sie dort ein. Ja, aber: er hatte erzählt, daß er seinen Schüler um halb sechs schon geholt habe. Angenommen, er habe eine Viertelstunde für die Vorbereitungen zum Ausräuchern gebraucht, so war da dennoch eine Viertelstunde, deren Inhalt man nicht kannte. Hungerlott behauptete, er habe seinen Schwiegervater viertel vor sechs am Bahnhof getroffen – also war er, wenn er schnell gefahren war, frühestens fünf Minuten nach sechs angekommen. Da aber Nebel herrschte, hatte er sicher länger gebraucht und Pfründisberg erst gegen halb sieben Uhr erreicht. Studer erinnerte sich, daß die Bahnhofsuhr zehn vor sieben zeigte, als er unter ihr vorbeifuhr, und daß es dreiviertel neun geschlagen hatte, als er mit dem Essen fertig war. Also hatte er mit dem Motorrad wenigstens fünfzig Minuten für die Strecke Bern – Pfründisberg gebraucht. Zehn Minuten – Gespräch mit Wottli vor der Haustür. – Dreißig Minuten – z'Nacht essen. Fünfzehn Minuten – Brissago, Abendblatt. Er war also zwischen halb und dreiviertel acht angekommen ...

»Hock ab, Ludwig«, sagte er. Und, zur Saaltochter gewandt, fügte er hinzu: »Huldi! Bring ihm en Becher Hells.«

Und erst nachdem das Knechtli sein Bier getrunken hatte, forderte Studer es auf, sich die Stirn abzuwischen.

»Bist gesprungen?«

»Jaja.« Ludwig nickte ein paarmal. Er habe gemeint, es pressiere. Studer hob seine mächtigen Schultern. Pressieren! Wenn jemand einen Raum betrat, der mit Blausäuregas gefüllt war, so brauchte sicher niemand zu pressieren, um ihn wieder herauszuholen. Drei Minuten genügten, nachher war jeder Rettungsversuch vergeblich.

»Erzähl jetzt, wie's zugegangen ist – deine Eile war unnötig.« Ludwig Farny war erstaunt; er riß die blauen Augen auf und starrte den breiten Mann an. Es war das erste Mal, daß er ihn Schriftdeutsch reden hörte. Und er probierte, dem Wachtmeister dies nachzumachen.

»Ich habe«, begann er, zögerte, verbesserte sich dann:

»Ich hörte«, sprach er, »großen Lärm. Und von diesem Lärm wachte ich auf. Es war dunkel im Zimmer. Wissen Sie, Herr Studer (der Wachtmeister senkte den Kopf, damit niemand ihn beim Lächeln ertappte. Zum Donner! ›Sie‹, sagte das Knechtlein, und aus der Schule erinnerte es sich wohl an die Mitvergangenheit), um halb sieben sperrte uns der Wott... der Herr Wottli ein. Ich begleitete die beiden zuerst, als sie das Gewächshaus räuchern wollten. Denn Sie hatten mir doch gesagt, ich müsse auf meinen Bruder aufpassen...«

Ludwig Farny schwieg kurze Zeit. Sein Atem ging noch immer schnell und seine Augen waren weit aufgerissen. Dann fuhr er fort:

»Viertel ab sechs war alles fertig, und der Lehrer drehte den Schlüssel im Schloß. Drinnen brannte noch die Lampe und ich blickte durch das Glas. Denn wißt Ihr, Herr Studer, im oberen Teil hat die Tür Scheiben und durch sie kann man gut das Innere des Treibhauses sehen... Orchideen auf einem Tablett links, in der Mitte hohe Palmen und kleiner Rittersporn – Delphinium chinense hat ihn der Lehrer genannt, er züchtete ihn für die Festtage. Auf dem Weg zum Schulgebäude hat der Herr Wottli uns noch ausgefragt, er wollte wissen, was Sie gefunden hätten im Schaft vom Ernst – aber mein Bruder hat nichts gesagt. Er schwieg immer, schaute hierhin und dorthin, so als ob er auf etwas warten täte. Ich fragte ihn, ob er jemanden suche – aber er schüttelte nur den Kopf. Dann standen wir im Zimmer und hörten, wie der Lehrer fortging – merkwürdig war nur eins, daß er nicht die Tür verschloß. Der Ernst stellte sich ans Fenster und blickte hinaus. Plötzlich sagte er, er wolle noch schnell etwas aus seinem Pult holen, er ging fort, ich wollte ihm folgen, aber er bat mich, ihn allein zu lassen. Eine halbe Stunde blieb er fort, kam dann mit leeren Händen wieder. Und kaum war er im Zimmer, machte der Lehrer Wottli die Türe auf und sagte: ›Wenn Sie allein im Hause umhergehen, so muß ich Sie einschließen. Ich werde Ihre Abwesenheit natürlich melden.‹ Der Ernst zuckte mit den Achseln und dann hörten wir, wie sich der Schlüssel im Schloß drehte. Der Ernst zog sich aus und legte sich ins Bett. Ich auch. Aber mein Bruder löschte dann das Licht – und ich schlief gleich ein.«

»Was?« fragte Studer erstaunt. »Du bist schon um sieben Uhr eingeschlafen?«

»Es war später, glaub' ich. Genau kann ich's nicht sagen. Denn – etwas hab ich vergessen: Der Lehrer kam noch einmal und brachte uns das Nachtessen: gebratenen Mais mit gedörrten Pflaumen als Kompott und Milchkaffee. Ja. Wir aßen und gingen erst nachher ins Bett ...«

Warum ... Warum nur blieben die beiden Direktoren im Nebenzimmer? Die Türe war noch immer geschlossen.

»Weiter!« knurrte Studer. »Und vergiß nicht immer die Hälfte!«

»Jaja ... Plötzlich hab' ich Lärm gehört und bin aufgeschreckt. Ich sprang aus dem Bett und drehte das Licht an. Da sah ich, daß ich allein im Zimmer war – und das Fenster stand offen. Ich beugte mich über die Brüstung. An der unteren Angel vom grünen Laden war etwas Weißes. Der Ernst hatte zwei Leintücher zusammengeknüpft, die reichten bis zum Boden und an diesen war er zum Fenster hinausgeklettert. Da dacht' ich: Wenn er's hat können, kann ich's auch! Ich zog mich an und ließ mich hinunter. Dann rannte ich zum Gewächshaus hinunter, denn es fiel mir auf, daß es erleuchtet war. Und doch wußt' ich genau, daß der Lehrer das Licht gelöscht hatte, damals, als wir fortgegangen waren. Ich ging in den Vorraum – da brannte an der Decke eine Lampe und auch im Abteil, wo wir geräuchert hatten, brannte noch Licht. Dort drin lag der Ernst auf dem Boden, sein Kopf ruhte auf den verschränkten Armen und seine Beine waren ganz verdreht... Da bin ich hinausgestürzt, weiter gelaufen und weiter, um Euch zu holen, Herr Studer. Denn etwas ist mir aufgefallen: Ich wollte doch die Tür aufreißen, um dem Ernst zu helfen – aber sie war verschlossen – und der Schlüssel steckte innen. Das kann ich beschwören. Ich dachte, der Ernst habe Selbstmord begangen. Was glaubt *Ihr*? Hat er es getan? Er wußte doch genau, daß das Gewächshaus voll Blausäuregas war, er wußte doch, daß es lebensgefährlich war, einzutreten.«

Schweigen... Studer hockte rittlings auf dem Sessel und hatte das Kinn auf die Unterarme gestützt, die verschränkt auf der Lehne lagen.

»So...« Er hob den Kopf und nickte, nickte...

»So... ist das Ernstli also tot!« Und er fühlte sich mitschuldig am Tode des Burschen und erinnerte sich an dessen Gesicht: die Nase wuchs daraus hervor und war so lang, daß sie wie verzeichnet aussah. Hatte der Bursche den Tod gesucht, weil ein Fahnder seinen Schrank untersucht und darin einen blutbesudelten Schlafanzug entdeckt hatte?

»Ruf den Direktor, Ludwig!« sagte Studer müde. Er wies mit dem Daumen auf die Tür des Nebenzimmers. Schüchtern klopfte das Knechtlein an. »Herein!«

»Ihr sollet zum Herrn Studer kommen!« Ein Gemurmel war zu hören, das Zurückschieben eines Stuhles, Schritte alsdann und eine Stimme fragte:

»Was wollt ihr, Wachtmeister?«

»Ihr müßt mich zum Gewächshaus begleiten ...«

»Ist etwas Ungrades passiert?«

»Ja... Der Äbi Ernst ist tot. Liegt im Gewächshaus. Habt Ihr eine dünne Zange?«

»Zange?« wiederholte Herr Sack-Amherd. »Ich glaub', es hat eine in der Werkzeugkiste im Gang vor den... vor den Abteilungen, die...«

»So kommt«, seufzte Studer und stand auf. Ihm war, als liege eine Zentnerlast auf seinen Schultern und doch fror ihn. Schauer – kalt wie Eiswasser – rieselten ihm über den Rücken. Aber er riß sich zusammen.

»Du begleitest uns, Ludwig!« befahl er und trat auf den Gang. Als er stehenblieb, um auf seine Begleiter zu warten, hörte er die Saaltochter drinnen sagen, Ludwig solle auf sich aufpassen... Damit ihm nichts geschehe! Aber das Knechtlein blieb stumm.

Am Fuße der Treppe machte Studer noch einmal halt.

»Wo ist der Hausvater?« fragte er.

»Er hat mir gute Nacht gewünscht und ist über die Laube heim. Denn, behauptete er, das Ganze interessiere ihn nicht. Er habe Wichtigeres zu tun. Daheim warte sein Freund Münch auf ihn und er habe noch eine Besprechung mit ihm vereinbart. Über das Testament von Farny...« Sack-Amherd seufzte, und dieser Seufzer klang nach Neid. Sicher mißgönnte der Direktor der Gartenbauschule seinem Freunde Hungerlott das Glück, durch eine Erbschaft reich zu werden. Studer dachte daran, ob er den Seufzer richtig verstanden habe und fragte deshalb im Gehen: »Wissen Sie etwas Näheres über dies Testament?« Sack-Amherd sog die Föhnluft ein, stieß den Atem rasselnd wieder aus und erzählte dann, der verstorbene Farny James habe nach dem Tode der Frau Hungerlott sein Testament geändert und den Hausvater zum Erben eingesetzt.

»Soo ... soo ...«, meinte der Wachtmeister gedehnt.

Da war das Gewächshaus. Drei Stufen führten in einen Gang, dessen linke Seite ein langer Tisch einnahm. Seine Platte bestand aus Zement und war in die Mauer eingelassen.

Drei Häuflein lagen darauf: Sand, Torfmull, feingesiebter Kompost. Und Studer begann zu spielen: seine Linke nahm Torfmull, seine Rechte Sand – dann spreizte er die Finger; langsam wurden die Hände leichter, es war ein merkwürdiges Gefühl, zu spüren, wie das Gewicht schwand. Wann würde die andere Last von seiner Seele fallen, die Schuld, die ihn quälte? War seine Abwesenheit, heute nachmittag, wirklich ein Fehler gewesen? Studer wandte dem Tische den Rücken und reinigte sich die Hände.

»Wo liegt er?« fragte er; denn zwei Türen sah er vor sich. Schweigend deutete Ludwig auf die eine; ihr oberer Teil war aus Glas, während der untere aus grüngestrichenem Blech bestand. Studer näherte sich, starrte dann lange durch die Scheiben, die leicht angelaufen waren, zog sein Taschentuch, um sie zu putzen – aber die winzigen Tropfen klebten innen. Darum sah auch der Körper, der auf dem Boden lag, so sonderbar verzerrt aus. Der Wachtmeister bückte sich und konnte den Griff des Schlüssels sehen, der innen aus dem Schloß ragte: er war schwarz angelaufen und mit roten Rostpünktchen übersät. Studer wandte sich um und fragte den Direktor:

»Man darf wohl nicht eintreten, weil es gefährlich ist, oder? Kann man den Raum lüften?«

– Doch, doch, man könne lüften, meinte Sack-Amherd und zeigte auf eine Kurbel. Mit dieser sei es möglich, die Oberfenster zu öffnen, die im Dach eingelassen seien. Ein Luftzug entstehe dann. Da aber der Direktor keine Lust zeigte, diese Arbeit zu verrichten, befahl der Wachtmeister dem Ludwig Farny, das Manöver auszuführen.

Die Kurbel kreischte, und dieses Kreischen war gespenstisch in der Stille.

»Jetzt müssen wir fünf Minuten warten«, sagte Herr Sack-Amherd...

Studer kehrte zum Zementtisch zurück und, wie ein kleiner Bub, der gerne sändelet, spielte er mit Kompost und Torfmull. Er glättete die Haufen, zeichnete Runen darein, Kreuze, Kreise, Zickzacklinien – bis von der Türe her eine Stimme rief:

»Wer hat die Fenster aufgemacht? Und meine Orchideen? Und meine Palmen?«

Studer blickte nicht von seiner kindlichen Beschäftigung auf. Ganz leise sagte er:

»Es liegt ein Toter im Raum, Herr Wottli.«

»Ein Toter? Was für ein Toter? Es hat doch niemand den Raum betreten können!... Ich trag' doch den Schlüssel in der Tasche!«

»So«, meinte der Wachtmeister müde, »den Schlüssel tragen Sie in der Tasche? Darf ich ihn sehen?«

»Hier!«

Der Schlüssel, den Studer in der Hand hielt, glich aufs Haar dem Schlüssel, der im Schlosse steckte: Auch er war schwarz und trug einige winzige Rostflecken ...

»Märci!« sagte Studer breit und ließ den Schlüssel in seiner Hosentasche verschwinden. »Besitzen Sie auch einen Schlüssel, Herr Direktor?«

»Ich? Nein!«

»Woher kommen Sie, Herr Lehrer?«

»Interessiert Sie das, Herr Wachtmeister? Nun, ich habe zuerst den Vater des ... des ... Toten da drin in die Armenanstalt geführt. Wir haben aber beide nicht gewußt, daß Ernst Äbi tot war. Woher hätten wir das wissen sollen?« Studer senkte den Kopf, preßte sein Kinn auf die Brust und schielte von unten auf den Sprecher. Täuschte er sich? Ihm schien, als sei dieser Wottli etwas verschüchtert, mehr noch: ängstlich ... Als wolle der Mann etwas verbergen ...

»Und dann?«

»Dann kam ich zurück und trieb die Schüler, die vor dem Fenster der Beize standen, ins Hauptgebäude. Sie hatten da nichts zu suchen! Aber ich konnte ihrer nicht Herr werden. Keiner wollte ins Bett. Jetzt hocken sie alle unten im Klassenzimmer und diskutieren, diskutieren! Ich blieb eine Zeitlang bei ihnen, dann sah ich, als ich zum Fenster hinausschaute, daß im Gewächshause Licht brannte und kam her, um nachzusehen, was es da gebe. Denn ich erinnerte mich genau – ganz genau –, daß ich das Licht ausgelöscht hatte. Jawohl!«

»Und keiner der Schüler hat Ihnen verraten, daß in dem Gewächshaus ein Toter lag? Das ist merkwürdig. Alle haben sie doch den Ludwig gehört, der mir die Neuigkeit zurief...«

Der Lehrer war nicht so leicht zu fangen. Ah, meinte er laut, jetzt verstehe er erst... Jetzt verstehe er, warum alle am Gewächshaus vorbeigehen wollten. »Ich aber wollte nicht, denn ich wußte, daß es gefährlich war, weil es mit Blausäuregas gefüllt war. Darum ging ich auf einem Wege...«

»Und von diesem Wege konnten Sie nicht sehen, daß das Glashaus erleuchtet war?«

»Es war doch neblig...«

»Nein!« Studer sprach barsch, wiederholte: »Nein! Der Wind hat den Nebel schon lang auseinandergeblasen.« Dann lächelte er, hob den Kopf, blickte den Lehrer lange an und meinte: »Sie müssen nachlesen, was der alte Groß über Zeugenaussagen sagt!«

Schweigen. Dann tönte es, als ob ein Zicklein zu meckern beginne... Direktor Sack-Amherd lachte; verschluckte sich und meinte dann: Die fünf Minuten seien schon lange vorbei.

Fünf Minuten sind sonst lang, wenn man warten muß. Aber diesmal waren sie schnell vergangen. Studer entdeckte zwar die Werkzeugkiste, doch fehlte die kleine Zange. Merkwürdig...! Dann gelang es ihm, den Schlüssel aus dem Schloß zu stoßen; drinnen fiel er auf den Boden. Studer nahm Herrn Wottlis Schlüssel, sperrte auf und trat ein.

Ernst Äbi lag auf dem Boden und seine Schultern waren verkrampft. Der Wachtmeister ließ sich auf ein Knie nieder, drehte den Körper um, fuhr mit der Hand unter die Weste – das Herz schlug nicht mehr. Um ganz sicher zu gehen, hielt

Studer noch einen runden Spiegel vor die Lippen des Liegenden – das Glas trübte sich nicht.

Nun erst begann er, die Taschen des Toten zu durchsuchen. In der Kitteltasche fand er eine Schleuder, wie sie Buben zum Schießen auf »Vögel« benutzen. Der Wachtmeister nickte und ließ das Spielzeug in seiner Tasche verschwinden. In der Busentasche ein Portefeuille, abgegriffen, angefüllt mit Zeugnissen; auch dieses steckte Studer ein. In der rechten Hosentasche ein Portemonnaie ... Inhalt: eine Zwanzigernote, ein Fünfliber, Münz. In der linken: eine Schachtel mit weißen Pillen. Studer stand auf. Er roch an den Pillen, nahm eine in die Hand, berührte sie mit der Zungenspitze ... Sie schmeckte bitter. Er hielt dem Direktor die Schachtel hin: »Kennen Sie das?« fragte er. Herr Sack-Amherd schüttelte den Kopf. Da aber mischte sich der Lehrer Wottli ins Gespräch. – Der Herr Direktor werde sich wohl erinnern, es sei Uspulun, das neue Beizmittel für Cyklamensamen, das jene deutsche chemische Fabrik zu Versuchszwecken gesandt habe. Vor drei Wochen ... Ernst Äbi habe den Auftrag erhalten, Versuche mit dem Mittel anzustellen: Welche Konzentration am günstigsten sei, wie lange die Samen in der Flüssigkeit liegen bleiben müßten. ... Der ... der Tote habe auch eine Tabelle ausgearbeitet; sicher werde sie in seinem Pulte zu finden sein ...

– Und was, fragte Studer, enthalte nach Herrn Wottlis Ansicht das Mittel?

– »Arsen ... Es ist eine organische Arsenverbindung ...«

»So, so«, nickte Studer. »Arsen! Seid Ihr sicher?«

»Ganz sicher, Herr Wachtmeister ...«

Wieder Stille. Das Summe einer Winterfliege war deutlich zu hören. Noch einmal ließ sich Studer aufs Knie nieder, legte Zeige- und Ringfinger auf die Lider des Toten und schloß dem Ernst die Augen.

Dann stand er auf, klopfte sich den Staub von der Hose – und da hörte er hinter sich eine Stimme:

»'s isch nid möglich! Myn Sohn! Myn Sohn!«

Studer wandte sich brüsk um, im Türrahmen stand sein Partner im Jaßspiel, rot leuchtete seine lange Nase...

– Was er hier zu suchen habe, schnauzte ihn der Wachtmeister an.

– Es sei sein Sohn! Es sei sein Sohn!... Der Mann hatte sein Nastuch gezogen, rieb sich die Augen, schneuzte sich...

– Er solle hier kein Theater aufführen, sagte Studer barsch, denn die Augen des Mannes waren trocken und auch das Schneuzen wirkte nicht überzeugend. – Wer ihn hier hereingelassen habe?

– Er sei der Gruppe gefolgt, sagte Vater Äbi mit weinerlicher Stimme, und er wisse nicht, wie er die Trauernachricht seiner Frau mitteilen solle...

– Wenn er sich nicht getraue, es zu tun (Studers Stimme war immer noch ungeduldig), so wolle er gern nach Bern telephonieren und einem Gefreiten der Stadtpolizei den Auftrag geben, in die Aarbergergasse zu gehen und die Mutter schonungsvoll vorzubereiten. Aber vielleicht wolle der Ludwig gehen? He? »Wann warst du zuletzt bei der Mutter?« Das Knechtlein schüttelte gequält den Kopf. Seine Augen waren mit Tränen gefüllt.

»Zuerst der Onkel«, sagte es gequält, »dann der Bruder... Wann kommt die Mutter dran?«

»Red' nid so dumm«, brummte Vater Äbi und Studer drehte erstaunt den Kopf; wann hatte sich der Mann dorthin geschlichen? Vor kurzer Zeit war er im Vorraum gewesen, jetzt stand er zu Häupten des Toten.

»Was habt Ihr dort zu suchen?«

»Suchen? Nüt!« Wieder der giftige Blick; dann schlich Arnold Äbi auf die Stufen zu. Seine Schritte waren unhörbar, weil er auf Gummisohlen lief. Studer trat in den Raum, in dem der Tote lag – und da erlebte er eine Überraschung. Er wollte den Schlüssel aufheben, den er aus dem Schloß gestoßen hatte, bückte sich... Statt des schwarzen, mit Rostflecken übersäten, fand er auf dem Boden einen neuen, blitzblanken. Der Wachtmeister prüfte die Türe – an ihrer Außenseite steckte immer noch der alte Schlüssel, den ihm Wottli gegeben hatte...

Studer hielt den glänzenden Schlüssel in der Hand, ließ ihn im Lampenlicht funkeln, packte ihn zwischen Daumen und Zeigefinger und ließ ihn tanzen. Warum war wohl der rostige Schlüssel durch diesen ersetzt worden? Warum? Leicht zu beantwortende Frage, wenn man annahm, daß es sich gar nicht um einen Selbstmord – sondern um einen Mord handelte. Wenn dem aber wirklich so war, so war es schwer, sich vorzustellen, wie er verübt worden war. Ernst Äbi mußte gezwungen worden sein, das Krankenzimmer zu verlassen; die zwei zusammengeknüpften Leintücher blieben hängen – also hatte der Ausbrecher gemeint, er brauche sie, um wieder in sein Zimmer zu gelangen... Und dann? Wen traf er? Sicher einen Menschen, dem er folgte; einen Mann, der Macht über den jungen Gärtner besaß. Und die Macht mußte groß sein – denn, falls man weiter annahm, der Schüler sei ins Gewächshaus geführt und in den mit Giftgas gefüllten Raum gestoßen worden, so hätte er leicht noch die oberen Scheiben an der Tür mit der Faust zerschlagen können. Eine einzige kurze Bewegung hätte ihn gerettet. Weshalb war er in dem lebensgefährlichen Raum verblieben? Weshalb hatte er sich einschließen lassen . . .?

Halt! Man besaß keinen einzigen Beweis, daß Ernst Äbi eingeschlossen worden war... Keinen Beweis? Einige Vermutungen immerhin. Aus welchem Grunde hatte jemand den rostigen Schlüssel mit einem neuen vertauscht? ... Erste Vermutung. Die zweite: Arnold Äbi, der Vater des Burschen, besaß außerdem einen Schraubstock, der am Küchentisch befestigt war und Eisenspäne enthielt... Und noch eine dritte gab es. Studer grübelte, seine Stirne runzelte sich, plötzlich glättete sie sich wieder. »Aah!« sagte der Wachtmeister bloß. Er erinnerte sich, daß Frau Äbi sich über das Fehlen eines Medikamentes beklagt hatte; und offenbar handelte es sich um ein »Betäubungsmittel«.

Studer blickte den alten Äbi fest an, doch als er den Ausdruck sah, der dieses Gesicht beherrschte, wußte er, daß vorläufig alles vergebens war. Umsonst eine Durchsuchung der Kleidertaschen – der alte Schlüssel war wohl längst irgendwo versteckt worden. Es gab genug Verstecke rundum: große Blumentöpfe, ein Haufen Sand in einer Ecke, in der anderen Torfmull, der Mitteltisch des Gewächshauses bestand aus zwei Teilen und der eine war auf vier Seiten mit spannenbreiten Brettern eingehegt und hoch mit Erde bedeckt. Pflanzen wuchsen da, deren Namen der Wachtmeister nicht kannte; Sägspäne lagen herum. Unmöglich festzustellen, ob diese Sägspäne vor kurzem als Versteck gedient hatten. Im Zimmer des Süffels (innerlich vermochte der Wachtmeister nicht, den Mann anders zu nennen), war sicher ebenfalls nichts zu finden... Wahrscheinlich lag das »Betäubungsmittel« irgendwo auf dem Mist – und Mist war nichts Rares, die drei Atmosphären besaßen ihn im Überfluß...

Trotz des Ausdruckes, der wie eine Maske auf des Alten Gesicht lag – der Mund, die Augen waren mit Hohn verschmiert –, wagte der Wachtmeister dennoch einen Versuch. Er sagte laut: »Ich möchte gern Ernst Äbis Pult durchsuchen...«

»Heut nacht noch?« fragte der Direktor und auch Paul Wottli protestierte. Ja, er widersprach so heftig, daß Studer aufmerksam wurde. Denn ganz deutlich hatte er feststellen können, daß die beiden Sprecher vor und während ihrer Antwort fast fragend auf den ehemaligen Maurermeister geblickt hatten. Arnold Äbis Gesicht veränderte sich ganz plötzlich: es verschwand der Hohn, die Lider senkten sich. Dann schüttelte der Mann den Kopf; seine Wangen waren bleich geworden. Hatte er Angst?

»Ich bestehe darauf«, sagte Studer. »Übrigens, Herr Lehrer, ich habe noch eine Frage zu stellen. Wie viele Gewächshausschlüssel gibt es?«

»Welchen Schlüssel meinen Sie? Den zur Haupttür? Von dem gibt es nur einen, diesen hier.« Wottli zog seinen Bund aus der Hosentasche, hielt einen mittelgroßen Schlüssel in die Höhe. Studer schüttelte den Kopf. »Ich meine den Schlüssel zu *dieser* Tür!« Und er wies mit der Hand auf sie.

»Zwei«, sagte der Lehrer leise. Warum schielte er immer

auf den alten Äbi? »Einen besitzt der Herr Direktor, den andern ich.«

»Wo ist der Ihre, Herr Direktor?«

»In meinem Bureau, in irgendeiner Schublade des Schreibtisches.«

»Und wem gehört dieser hier?«

Die zwei sprachen zu gleicher Zeit, drängten sich dabei vor – und Arnold Äbi verbarg sich hinter ihnen. Was tat der alte Süffel dort? Warum versteckte er sich? Studer sah gerade noch, daß der Mann Handschuhe trug.

»Das könnte meiner sein ...« »Das ist der vom Herrn Direktor.« Zweistimmig ist nur schön, wenn es sich um die Melodie eines Liedes handelt, Worte hingegen, zweistimmig gesprochen, schmerzen in den Ohren.

»Bitte!« Studer hob die Hände. »Einer nach dem andern. Sie sind also sicher, daß der Schlüssel Ihnen gehört, Herr Direktor? Ganz sicher? Wann haben Sie ihn zum letzten Male gebraucht?«

»Das weiß ich nicht. Vor ein paar Tagen – vielleicht vor einer Woche ... Ah, jetzt fällt mir's ein. Vor genau einer Woche, letzten Donnerstag, habe ich ihn dem Ernst Äbi gegeben. Er hat mir ihn erst am Sonntag zurückgegeben und behauptet, seine Vergeßlichkeit sei an dieser Verspätung schuld.«

»Und der Ihre, Herr Lehrer?«

»Der war immer in meiner Tasche.«

»Warum nicht an Ihrem Schlüsselbund?«

»Weil ich ihn hin und wieder auch den Schülern geben muß. Den von der Außentür braucht niemand, denn die bleibt immer offen, ausgenommen wenn Ferien sind.«

»Ludwig«, rief Studer. Das Knechtlein hatte sich in einer dunklen Ecke verborgen. Nun kam es näher. »Erinnerst du dich noch, was für einen Schlüssel du innen im Schloß gesehen hast?«

Schweigen. Ludwigs Augen wanderten von einem zum andern, Arnold Äbis Kopf erschien über der Schulter des Direktors, die Lider waren hochgeklappt... So starrte der Mann auf den Burschen.

»Ich... i-i-ich weiß nicht... Er... er... schien mir alt... und rostig.«

»Älter als der da?«

»Der ist ja ganz neu!«

»Schweig!« – »Halt's Maul!« – »Lügner!« – »Natürlich! So einer aus einer Korrektionsanstalt!«

»Ruhig!« brüllte Studer. Dann meinte er boshaft lächelnd: »Merkwürdig, was doch ein einfacher Schlüssel für Aufregung hervorrufen kann...«

Arnold Äbis Gesichtshaut war während des Schimpfens knallrot geworden – nach Studers Worten wurde sie bleich. Gerade dies konnte der Wachtmeister noch feststellen, dann versteckte sich der Kopf wieder hinter dem Rücken des Direktors. Auch die beiden anderen schienen zu merken, daß sie einen Fehler begangen hatten und nun stieg auch die Angst ihnen zu Kopf und veränderte ihre Züge.

»Das ist nicht mehr auszuhalten, Wachtmeister; Ihr macht uns ganz nervös! Glaubt Ihr, das sei angenehm für uns? Zuerst verdächtigt Ihr einen unserer Schüler, untersucht seinen Schaft, findet darin blutgetränkte Wäsche, so daß es klar scheint, daß der Bursche an einem Morde wenigstens mitbeteiligt ist, wenn er nicht selbst der Täter ist...

Ihr reget den Ernst Äbi dermaßen auf, daß mein Schüler am Abend Selbstmord begeht – und was wollt Ihr wieder aus dieser Sache machen? Schon den ersten Fall habt Ihr, trotz der gegenteiligen Meinung unseres Arztes, als Mord hingestellt – ääh einen Mord daraus gemacht, will ich sagen. Und nun soll mein Schüler auch ermordet sein? Von wem? Ich habe selbst den Schlüssel gesehen, der innen im Schloß steckte. Es ist doch unmöglich, daß irgend jemand von außen die Türe absperrt, wenn der Schlüssel innen – ich wiederhole: innen! – im Schlosse steckt? Oder?«

»Warum fehlt dann die Hohlzange?« fragte Studer, so leise, daß der Direktor sich vorbeugte und seine rechte Hand hinter die Ohrmuschel hielt. Der Wachtmeister wiederholte seine Frage ein wenig lauter.

»Hohlzange? Wir haben doch keine Hohlzange! Und übrigens: Ihr könnt nicht beweisen, Herr Studer, daß irgendein anderer Schlüssel verwendet worden ist – oder wollt Ihr vielleicht behaupten, der Schlüssel, der am Boden lag, sei von irgend jemandem ausgewechselt worden? Gegen diese Behauptung kann ich Ihnen nur einwenden, daß nach meiner Ansicht die Sache klar liegt; Ernst Äbi hat mir den Schlüssel zurückgegeben und gesehen, wo ich ihn versorgt habe – was liegt näher, als daß der Bursche ihn heut abend aus meinem Schreibtisch geholt hat – um Selbstmord zu begehen?«

Die Worte des Direktors waren kaum verklungen, da sah der Wachtmeister den Trinker wieder auftauchen. Direkt unter die Lampe stellte sich der Mann, verschränkte die Arme über der Brust und starrte Studer mit weitgeöffneten Augen an.

Den Wachtmeister ergriffen Zweifel. Merkwürdig: Vater Äbi war anständig gekleidet; man sah, daß seine Frau auf Ordnung hielt... Der Anzug war zwar abgetragen, doch der Kragen des Kittels war nicht speckig, sondern ausgebürstet und das hellblaue Hemd sauber. Und doch... und doch... Der Mann hatte jetzt einen Ausdruck im Gesicht... Nicht höhnisch war er mehr, dennoch erinnerte er an Armenanstalt.

Aber – jemand kann unsympathisch aussehen; dies ist jedoch noch kein Beweis, daß er seinen Sohn ermordet hat. Denn wollte man diesen Verdacht beweisen, müßte man annehmen, daß der Schlüssel vertauscht worden war. Von wem? Es brauchte nicht der Arnold Äbi zu sein... Es konnte gerade so gut Direktor Sack-Amherd, Lehrer Wottli, ja selbst das Knechtlein Ludwig sein. Diese drei waren während der ganzen Zeit anwesend gewesen und zwei von diesen dreien hatten energisch gegen die Möglichkeit eines Umtausches protestiert... Man mußte ein Motiv finden, das einen der Anwesenden zu einem Mord gezwungen hatte. Gab es ein solches?

B'hüetis! Es war nicht das erste Mal, daß Studer von einem Vater hörte, der seinen Sohn umgebracht hatte... Der Grund? Ernst Äbi war sicher im Testament des »Chinesen« bedacht worden. Fiel er aus, so profitierten die anderen Erben davon. Die anderen? Nicht nur der Trinker war durch seine Frau an dieser Erbschaft beteiligt, sondern auch der Hausvater Hungerlott – durch seine verstorbene Frau. Ludwig mußte ebenfalls mitgezählt werden. Und endlich der Lehrer Wottli.

Der Wachtmeister wurde müde. Er stellte fest, daß es

schon viertel nach elf war. Am liebsten hätte er, ohne viele Höflichkeitsformeln, alle die im Gewächshaus umherstanden, verhaftet – oder zum Teufel gejagt. Aber das ließ sich nicht machen. Darum verlangte er von Sack-Amherd, schnell noch ins Schulhaus geführt zu werden. Zwei Sachen wolle er sehen, erklärte er: Die Schublade, in welcher der andere Schlüssel versorgt worden war und das Pult des Toten. Paul Wottli wurde gebeten, den Vater des Ernst ins Armenhaus zu begleiten und dann heimzugehen.

»Ludwig«, sagte er schließlich zum Knechtlein, »Ludwig, du bleibst hier! Du bewachst mir das Gewächshaus, bis ich wieder zurückkomme und dich abhole. Verstanden? Von Euch, Herr Wottli, verlange ich noch den Schlüssel zur Außentür. Nehmen Sie ihn von Ihrem Bund! ... Määrci. Und jetzt kommen Sie, Herr Sack-Amherd ...«

Schüler bei Nacht

Das Erdgeschoß der Schule war noch hell erleuchtet und auch oben, im zweiten Stock brannte noch Licht. Als Studer mit dem Direktor die Vorhalle betrat, mußte er an einen riesigen Bienenstock denken. Denn das ganze Haus war erfüllt von einem lauten Summen, das nur von den geschlossenen Klassentüren gedämpft wurde.

Sack-Amherd trat in sein Bureau und drehte das Licht an. Ein sogenannter Diplomatenschreibtisch beim Fenster, neben der Tür ein eiserner Geldschrank und an den Wänden Gestelle, gefüllt mit Briefordnern ... Der Direktor setzte sich mürrisch auf den Armstuhl, der vor dem Schreibtisch stand, öffnete eine unverschlossene Schublade und begann zu wühlen. Papiere flatterten auf den Boden, dann wurde eine zweite Schublade geöffnet, durchsucht – eine dritte ...

»Der Schlüssel ist fort«, seufzte Sack-Amherd.

Studer nickte schweigend.

»Das ist doch der beste Beweis«, fuhr der Direktor fort, »daß der Verstorbene mein Bureau betreten und den Schlüssel geholt hat, weil er Selbstmord begehen wollte. Oder?«

Studer hob die Achseln und vergrub die Fäuste noch tiefer in die Taschen seiner Hose.

»Beweis?« murmelte er. »Ich seh' gar keinen Beweis. Wir müssen zuerst feststellen, wann der Äbi den Schlüssel genommen hat. Heut abend? Oder schon früher? Im Laufe des Tages? Und sind Sie ganz sicher, daß Ihr Schlüssel neu war, Herr Direktor? War es wirklich dieser Schlüssel?« Studer zog den glänzenden Gegenstand aus der Tasche und hielt ihn dem anderen vor die Nase. Sack-Amherd gähnte.

»Wie soll ich das wissen? Ich hab' den Schlüssel schon lang nicht mehr gesehen. Jetzt erinnere ich mich auch: Als ihn der Äbi vorige Woche verlangte, hab' ich ihm ganz einfach gesagt, er soll ihn holen gehen und ihm erklärt, in welcher Schublade er liegen müsse. Dann hat er ihn zurückgebracht und selbst wieder versorgt. Erst nachdem er ihn versorgt hatte, meldete er mir, es sei alles in Ordnung. Ich kann mich doch nicht um jeden Dreck kümmern. Wollen Sie noch sein Pult anschauen gehen?«

Sie traten auf den Gang und schritten auf die Türe zu, die dem Direktionsbureau schief gegenüber lag.

»Warten wir ein wenig«, sagte Studer leise, legte die Hand auf des Direktors Arm und zwang ihn zum Stehenbleiben. Im Klassenzimmer sagte eine Stimme:

»Und, Baumann, glaubst du wirklich, daß dieser Wachtmeister, dieser Schroter etwas finden wird? Statt uns zu fragen, ist er nur hinter dem Alten her und dem Wottli. Als ob die beiden eine Ahnung hätten, was mit dem Äbi los ist. Ich weiß über den Äbi besser Bescheid als die ganze Schule. Das kannst du mir glauben!«

»Psch! Pschsch!« tönte es. »Nicht so laut! Wenn jemand zuhört!« – »Ich will schnell die Tür aufmachen ...« Studer wartete nicht länger, sondern drückte auf die Klinke.

Im Klassenzimmer war es taghell, die vier Lampen, die von der Decke hingen, mußten wohl starke Birnen haben ... Drei Reihen Pulte, an denen die Bänke befestigt waren. Gerade vor der offenen Tür ein breiter und langer Tisch für den Lehrer, an der Wand die schwarze Tafel mit einigen flüchtigen Kreidezeichnungen; der Plan eines Gebäudes – bei Gott, das war ja der Plan des Treibhauses! Daneben ein kleinerer Entwurf, der Studer neugierig machte.

»Was habt ihr da gezeichnet?« fragte er und trommelte mit den Fingern auf die Tafel. Ein Chor, der aus wenigstens zehn Stimmen bestand, antwortete: »Die Heizung!« – »Welche Heizung?« – »Die vom Gewächshaus!«

Natürlich! Die Burschen waren nicht dumm. Sie hatten an die Heizung gedacht – und ein geschulter Kriminalist mußte sich schämen, weil er diese wichtige Sache vergessen hatte. Studer fackelte nicht lange.

»Ich brauche Sie nicht mehr, Herr Direktor! ... Ich sehe, daß Sie übermüdet sind. Bitte, gehen Sie nur ruhig zu Bett. Mit den Schülern werd' ich schon fertig.« (Studer sprach leise, ganz nahe an Sack-Amherds Ohr und hielt die flache Hand neben seinen Mund.) »Ich übernehme die Verantwortung und bring sie dann hinauf in ihre Schlafräume.«

»Guet, mynetwäge!« Der Direktor gähnte noch einmal herzhaft. So still war es im Raume, daß deutlich ein Klopfen zu hören war; es drang durch die Zimmerdecke. »Jaja ... Meine Frau ruft mich. Sie macht sich gewiß Sorge. Also ... Guet Nacht mitenand. Und: Machet nicht zuviel Lärm!«

Leise drückte Herr Sack-Amherd die Türe von außen zu, seine Schritte verhallten. Im Klassenzimmer herrschte

Schweigen ... »So«, meinte Studer und zog seinen Mantel aus, »jetzt wollen wir zusammen die Untersuchung führen. Welcher hat vor unserem Eintritt mit dem Baumann gesprochen?«

»Ich!« In der hintersten Bank, ganz oben, stand ein großer Kerl auf. Seine Haare funkelten rot und sein Gesicht war mit Sommersprossen übersät.

»Wie heißest du?« – »Amstein Walter.« – »Also, Wälti. Ich glaub zwar, daß deine Lehrer dich nicht duzen – aber ich bin's so gewohnt. Macht's dir nichts aus?« –

»Nein, gar nichts. Es ist mir sogar lieber!« Und der Rothaarige lachte. Er zeigte dabei eine Reihe schöner Zähne.

»Was hast du gemeint, Wälti, wie du gesagt hast, du wissest über den Äbi besser Bescheid als die ganze Schule? Den Satz hab ich grad noch gehört.«

»Siehst du, daß ich recht gehabt hab!« rief ein kleiner Braunhaariger dem Amstein zu. Er hatte den Kittel abgelegt und die Hemdsärmel aufgelitzt.

»Bist du der Baumann?« fragte Studer.

»Mhm«, nickte der Bursche. Die Muskeln am Ellbogen waren gespannt, er hatte das Kinn zwischen die geballten Hände gepreßt. »Ich kenn Euch, Wachtmeister. Am achtzehnten Juli war ich in der Sonne und sah, wie Euch die Armenhäusler vermöbeln wollten ...«

Studer hakte ein und fragte den Baumann aus. Was sei der Grund gewesen, damals? »Ich bin nicht recht nachgekommen. Schließlich war es wirklich ein Zufall, daß ich damals vergessen hab' zu tanken, und ...« – Nun wurde er unterbrochen, von drei Schülern auf einmal: von Baumann, von Amstein und von einem Dritten, der fast weiße Haare hatte, wie ein Albino ... Er trug eine Hornbrille auf der Nase, deren Gläser so stark geschliffen waren, daß die Augen dahinter ganz verzerrt aussahen ... Popingha hieß er und sprach das Deutsche mit starkem holländischen Akzent. Er gebot seinen Kameraden Schweigen und erzählte folgendes: An jenem Abend sei der Äbi Ernst plötzlich hier, im Klassenzimmer, aufgetaucht und habe vier Mann gebraucht. Er (Popingha) und Amstein und Heinis und Vonzugarten seien mitgekommen und der Kamerad (»Kam'rat« sagte Popingha) habe ihnen auf dem Wege erzählt, sein Bruder – sein Stiefbruder – sei heute morgen angekommen. Früher habe ihn die Armenbehörde in der Anstalt versorgt, aber er sei geflohen mit einem Mädchen – zwar habe sich der Fremde, der Farny, seiner angenommen, aber bei Hungerlott wisse man ja nie, was der Mann vorhabe. Heut morgen sei er einverstanden gewesen, den Bruder wieder laufen zu lassen und habe dies auch dem Farny versprochen. Aber heut abend sei plötzlich ein Polizist aufgetaucht und vielleicht habe dieser die Absicht, den Bruder zu verhaften. Nun habe er ein paar Armenhäusler aufgetrieben, aber er brauche noch einige sichere Mithelfer und darum sei er die Kameraden holen gekommen. Man müsse dem Schroter Angst machen, damit er fortgehe und den Ludwig in Ruhe lasse. »So war das, Wachtmeister. Darum haben wir getan, als wollten wir Euch angreifen ...«

Wie einfach die Geschichte war! Und wie mutig hatte sich doch der Bursche benommen, der nun tot im Treibhaus lag, bewacht von seinem Stiefbruder.

Treibhaus ... Was bedeutete der Plan der Heizung? Diesmal war es Amstein, der Antwort gab. Sein Bett, erzählte er, stehe im Schlafsaal gerade neben dem des verstorbenen Äbi. Es sei ihm aufgefallen, daß Äbi die letzte Zeit so schlecht geschlafen habe – oft sei er fast nächtelang wach gelegen und wenn er schließlich gegen Morgen Schlaf gefunden, habe er im Traum geredet. Immer und immer sei von Heizung die Rede gewesen. Heizung und Treibhaus. Ein paarmal sei der Ernst – Baumanns bester Freund – »Gell, Buuma?« – »G'wüß!« – der Ernst also am Abend aus der Arbeitsstunde gelaufen. Arbeitsstunde hätten sie hier in der Schule am Morgen von halb sieben bis zum Frühstück um halb acht (im Sommer früher) und am Abend von fünf bis halb sieben und von halb acht bis zehn Uhr. Er erwähne dies nur, um dem Wachtmeister die Sache klarzumachen ... Da habe nun er (Amstein) von Baumann erfahren, daß Äbi manchmal fehle, und da Baumann ein Schüchterner sei, habe eben er einmal dem Äbi abgepaßt. Und was habe er entdeckt? Der Ernst sei mit seinem Vater draußen auf dem Friedhof zusammengetroffen. »Beide standen am Grab der vor vierzehn Tagen gestorbenen Frau Hungerlott. Nun wußt' ich ja, daß die Frau die Schwester des Ernst war. Nur verstand ich nicht, warum er seinen Vater gerade an dieser Stelle traf. Nachher gingen die beiden ins Treibhaus, ich blieb zuerst draußen stehen, ging dann hinein – da war keiner mehr da. Ich hörte sie aber unten in der Heizung miteinander flüstern. Verstehen konnt' ich nichts. Da hab ich mich wieder gedrückt. Merkwürdig war nur eins: Die Birne, die unten in der Heizung hängt, hat die ganze Nacht nicht gebrannt – und doch sah ich letzten Montag Licht dort unten. Es war um neun Uhr, der Äbi hatte diese Woche Dienst, mußte am Morgen den Rost putzen, am Abend

Kohlen nachlegen für die Nacht... Ich glaubte dann, der Äbi habe eine Extrabirne, die er abschraube, wenn er die Heizung verlasse und durch eine andere – kaputte – ersetze. Warum er das aber gemacht hat, weiß ich nicht...«

Zweite Entdeckung. Studer hütete sich, Notizen zu machen. Nichts stößt mehr ab, als ein pedantisches Aufschreiben – während man dies tut, kann man nicht aufblicken und verliert vollkommen den Zusammenhang mit den Menschen, denen man zuhört... Eine Zeitlang herrschte Schweigen. Alle Schüler hatten rote Köpfe, und ihre Augen funkelten.

»Noch etwas?« Popingha, der Holländer mit der großen Brille, lachte kurz auf, nickte dann. – Er wisse schon noch etwas, doch glaube er nicht, daß es wichtig sei.

»Nur erzählen!« Eigentlich wunderte sich Studer, daß er mit diesen unbekannten Schülern so gut auskam. Sie hätten ihn doch hassen sollen, weil er am Morgen den Schaft des Äbi durchsucht und ein »Corpus delicti« entdeckt hatte. Der Tod ihres Kameraden schien alle dermaßen erschüttert zu haben, daß sie aus sich herausgingen und helfen wollten...

Popingha erzählte: – Früher habe er immer den Lehrer Wottli mit der Frau Anna Hungerlott spazieren gehen sehen und er würde wetten, daß die beiden ineinander verliebt gewesen seien.

Studer wollte lächeln, er fühlte, wie seine Mundwinkel zu zittern begannen – aber plötzlich fröstelte er, obwohl es im Klassenzimmer erstickend heiß war. Es war ihm, als habe er das Ende des Fadens erwischt, als könne er jetzt den verfilzten, den verknoteten Strang aufdröseln.

»Geht jetzt schlafen!« befahl er. »Und steigt ruhig die Treppe hinauf.« Die Schüler folgten ihm, er löschte die Lampen, wartete im zweiten Stock, bis alle im Bett lagen, löschte auch in den Schlafsälen die Lampen.

»Guet Nacht, schlofet guet!«

Als er das Haus verließ, war es dreiviertel eins. Das Gewächshaus war noch hell erleuchtet.

Funde in der Heizung

Als Studer den Gang vor den beiden Treibräumen betrat, sah er Ludwig Farny vor dem Zementtisch stehen. Das Knechtlein schöpfte mit der Rechten Sand und ließ ihn in die Linke rinnen; dabei liefen ihm Tränen über die Backen.

Der Wachtmeister trat neben ihn, klopfte ihm auf die Schulter und fragte: »Was isch los?«

Stockend erzählte Ludwig, der Ernst habe immer zu ihm gehalten; dabei wies er auf den Toten, der im Dunkeln lag. Einmal, wie es ihm schlecht gegangen und die Barbara krank gewesen sei, habe er dem Ernst geschrieben und um Geld gebeten. Fünfzig Franken habe er verlangt – und der Bruder habe ihm das Geld ohne weiteres geschickt, obwohl er selbst nicht reich gewesen sei. Und dann – der Ernst habe immer die Mutter verteidigt und wenn er im Haus gewesen sei, habe der Vater – »der Stiefvater«, verbesserte er sich – nie gewagt, die Mutter anzurühren. Sogar zu einer Schlägerei sei es einmal gekommen, weil der betrunkene Stiefvater angefangen habe, die Mutter zu quälen. Der Ernst sei damals kaum sechzehn gewesen, aber stark wie ein Bär, der Äbi habe am nächsten Tag ein blaues Auge gehabt und seit dieser Zeit...

»Das langt«, sagte Studer. Konnte man sich ein schöneres Motiv denken? Der Alte mußte den Jungen gehaßt haben –

Studer kannte diese Art Männer, die, wenn sie betrunken sind, gerne ihre Frauen quälen; ein sonderbares Machtbedürfnis mußte dahinter stecken – denn gewöhnlich waren diese Quälgeister auch arme Teufel: sie wurden von oben getreten – war es ein Wunder, daß sie dann ihre Frauen quälten, um ihnen zu zeigen, wie kräftig sie waren?

»Weißt du, wo die Heizung ist, Ludwig?« Das Knechtlein nickte, ging voraus; in einer Ecke führten Stufen in die Erde hinein. Ludwig drehte an einem Schalter – und unten flammte die Lampe auf. Vor seinem Tode hatte der Ernst also die Birne ausgewechselt... Der Heizungskessel war staubig, rechts von ihm lag ein Haufen Asche, die mit Schlackenstückchen vermischt war. In der Nebenkammer links lag Koks. Studer zog den Mantel aus und hing ihn an einen Nagel. Unter einigen Overalls fand er einen passenden und zog ihn an. Ein Aschensieb lehnte an der Wand.

»Wir müssen die Asche durchsieben, Ludwig«, sagte der Wachtmeister, »zieh auch ein Überkleid an!« Er dachte dabei, daß das Knechtlein wohl seinen einzigen Sonntagsanzug trug.

Es war eine unangenehme Beschäftigung, welche die beiden unternahmen. Die Luft des kleinen Raumes war bald mit Staub gesättigt, das Atmen wurde schwer, Studer mußte husten – aber der Haufen wurde langsam kleiner. Eigentlich wußte der Wachtmeister selbst nicht, was er in der Asche zu finden hoffte... Ludwig kehrte den Rest der Asche zusammen, die beiden Männer schwangen das Sieb – da endlich, unter einigen Schlackenstücken, fand der Wachtmeister drei Dinge: einen halbverbrannten Knopf, einen ganzen Knopf, eine ausgeglühte Patronenhülse. Studer legte die drei Gegenstände auf seine flache Hand und betrachtete sie.

»Schau, Ludwig«, sagte er, »das ist ein Knopf, der aus einem Warenhaus stammt. Der da«, und er deutete auf den zweiten, unversehrten, »ist gutes Material, ein Mantelknopf, vielleicht stammt er sogar von einem englischen Schneider... Und erkennst du das?«

Ludwig nickte. Solche Hülsen, sagte er, hätten sie als Fisel in den Schießständen aufgelesen. Nur seien die Hülsen damals noch größer gewesen... Wenn er sich eine Meinung erlauben dürfe, so stamme diese Hülse von einer Pistolen-Patrone, von einer großkalibrigen...

»Recht so, Ludwig, recht so! Wahrscheinlich stammt die Hülse aus dem amerikanischen Revolver, den wir neben der Hand deines Onkels auf dem Friedhof gefunden haben.«

Ludwig nickte weise. Auf seinem knochigen Gesicht entstand ein Lächeln – und stärker leuchtete das Blau seiner Augen.

Studer hatte eine Taschenlampe angeknipst und bestrich mit ihrem Lichtkegel die Wände. Dort, wo der Eingang in den Kohlenkeller war, blieb er stehen, seine Augen näherten sich der Mauer... »Lueg einisch!« rief er. Ludwig kam, und der Wachtmeister deutete auf einige Spritzer, die sich deutlich von der dunklen Wand abhoben. »Hescht du es alts Messer?« fragte er seinen Gehilfen; das Knechtlein nickte, aber es brauchte Zeit, um aus der Hosentasche ein Messer mit schartiger Klinge zutage zu fördern.

Studer zog eine alte Enveloppe aus seiner Tasche, darein kratzte er den Wandbelag, auf dem er die verdächtigen

Spritzer entdeckt hatte. Dann schloß er das Kuvert und hielt seinem Gehilfen einen Vortrag:

– Er stelle sich die Sache folgendermaßen vor: man habe den Onkel hierher in den Keller gelockt – und zwar habe man ihn aus dem Bett geholt. Beweis: der eine Knopf, der von einem guten Schneider stamme. Wahrscheinlich habe der Onkel rasch einen Überzieher angezogen und sei dem Manne gefolgt, der ihn gerufen habe. Dieser Mann habe gewußt, daß der Onkel stets eine Waffe bei sich trage – wie es dem Mörder gelungen sei, sich dieser Waffe zu bemächtigen, sei ein anderes Rätsel, das wohl erst das Geständnis des Schuldigen lösen würde. Kurz, der Onkel sei hier in diesem Keller erschossen worden mit einer kleinkalibrigen Waffe, aber der große Revolver sei auch losgegangen – und zwar müsse man annehmen, daß nicht nur ein Mörder die Tat begangen habe, sondern daß mindestens ein Mitschuldiger anwesend gewesen sei. Dieser Mitschuldige sei ins Zimmer des Onkels gegangen und habe von dort ein Hemd, einen Anzug und einen Kragen mitgebracht. Im Keller sei die Leiche angezogen, auf den Friedhof getragen und auf das Grab der Anna Hungerlott gelegt worden. Ludwig müsse sich das lebhaft vorstellen: die Mörder hätten im Sinne gehabt, der Behörde glauben zu machen, es handle sich um einen Selbstmord aus Liebesgram; wobei ihnen ein Fehler unterlaufen sei: sie hätten nicht daran gedacht, daß Rock, Gilet und Hemd unverletzt geblieben seien. Übrigens habe der Statthalter sogleich festgestellt, daß ein Mann mit einer Kugel im Herzen unmöglich noch seine Kleider zuknöpfen könne …

»Erster Fehler, Ludwig … Wenn die Mörder ein wenig

nachgedacht hätten, wär' dieser Fehler zu vermeiden gewesen. Vom zweiten Fehler wollen wir nicht sprechen – ich meine den Schlüssel... Du bist müde und der Wachtmeister Studer ein Schwätzer. Wir wollen schlafen gehen, komm...« Sie stiegen die Treppe hinauf, Ludwig drehte den Schalter ab; der Gang war leer. Auf dem Torfhaufen, der auf der Zementplatte lag, standen noch die Runen, die Studer vor Stunden gezeichnet hatte. Er löschte sie aus und die Kühle tat seinem heißen Handballen wohl. An der Tür, die ins Freie führte, drehte Ludwig den letzten Schalter – nun lag das Glashaus dunkel da, einsam und ungestört schlief der Tote darin, und die beiden Lebenden gingen ihrer Schlafstätte zu, nachdem Studer auch die Außentür verschlossen hatte. Der Himmel schimmerte schwachsilbern, schon war der Mond untergegangen. Als Studer seine Taschenuhr zog, stellte er fest, daß Mitternacht seit zwei Stunden vorüber war.

Notar Münch macht einen nächtlichen Besuch

Gutmütigkeit rächt sich bisweilen. Als Studer Ludwig Farny eingeladen hatte, mit ihm im gleichen Zimmer zu schlafen, wußte er nicht, daß der Bursche schnarchte. Erst am gestrigen Abend hatte er dies festgestellt und heute begann es von neuem. Kaum hatte der Wachtmeister das Licht gelöscht, begann es im Bette drüben zu stöhnen, zu sägen, zu feilen, zu schnaufen. Studer warf seinen Pantoffel hinüber, eine Minute blieb es still, dann begann der Lärm von neuem. Es flog der zweite Pantoffel, es flog der rechte Schuh, der linke dann, es flog die eine Ledergamasche, dann die andere... Länger als eine Minute blieb es drüben nie still. Seufzend wälzte sich Studer von einer Seite auf die andere, knirschte mit den Zähnen, begann zu zählen und memorierte laut das kleine Einmaleins... Ludwig schnarchte. Die Turmuhr der Gartenbauschule von Pfründisberg schlug halb drei, die grelle Glocke des Armenhauses gab ihr Antwort, es schlug dreiviertel, es schlug drei Uhr. Stöhnend zündete der Wachtmeister wieder das Licht an und begann die Zeitung zu Ende zu lesen.

Die Läden des Fensters waren geschlossen, ihr grünes Holz schimmerte durch die Scheiben – das Licht im Zimmer störte das Knechtlein nicht. Plötzlich fuhr Studer auf. Es war ihm, als habe jemand an die Türe gepocht. Er wartete.

Da sah er, daß die Klinke von draußen herabgedrückt wurde, jemand versuchte die Türe zu öffnen – Gott sei Dank, sie war verschlossen!

Studer stand auf und schlich zur Tür. Er preßte sein Ohr an die Füllung und hörte nichts. Denn jedes Geräusch wurde von Ludwigs Schnarchen übertönt. Endlich fragte draußen eine leise Stimme: »Studer, bischt no wach?« Die Stimme des Notars Münch! Der Wachtmeister schob den Riegel zurück, drehte den Schlüssel im Schloß und ließ seinen Freund ein. – Er solle nicht so viel Krach machen, schärfte Studer dem Notar ein, es schlafe da einer im andern Bett, ein guter Bursche, der heute viel geleistet und seinen Schlaf verdient habe ... Er schnarche zwar, aber schließlich sei niemand vollkommen!

Während er so sprach, schlüpfte Studer ins Bett zurück, lud den Notar zum Sitzen ein – und Münch nahm die Einladung an. Er verlangte ein Kissen – die Mauer sei hart, behauptete er –, stopfte es sich in den Rücken und sagte: »Leicht ist es nicht gewesen, aus der Anstalt herauszukommen!«

Studer verspürte kein Mitleid, er lachte seinen Freund aus und behauptete, es sei ganz gesund für Notare, wenn sie sich ein wenig bewegten. Sie säßen ohnehin die ganze Zeit auf ihrem Schreibtischstuhl und täten ihre Kunden übers Ohr hauen. – Münch quittierte diesen Angriff, indem er Studer in die Wade klemmte, doch dieser Angriff mißlang; der Wachtmeister streckte plötzlich seine langen Beine und er drängte den Freund erbarmungslos gegen das Fußende des Bettes. Münch bat um Gnade.

– Was er denn so spät noch hier wolle, fragte Studer

flüsternd (das Flüstern wäre unnötig gewesen, denn das Knechtlein sägte unentwegt). Ob denn etwas Besonderes passiert sei, drüben im Armenhaus? Und was denn der Herr Notar beim Hungerlott zu suchen habe? Soviel er (Studer) wisse, sei der Hausvater nicht gerade sauber übers Nierenstück...

»Gäll, das möchtescht gärn wüsse?« sagte Münch, zwinkerte mit dem rechten Auge und schraubte an seinem Hals.

»Wüsse!« Der Herr Notar habe wohl den Privatdetektiv spielen wollen, oder? Denn bis jetzt sei keine Klage eingelaufen gegen den Hungerlott...

»Aber soviel ich verstanden habe, meinst du, der Hausvater habe seine Frau mit Arsen vergiftet... Wenn ich dir aber jetzt erzähle, daß wir das Gift bei einem Schüler der Gartenbauschule gefunden haben? Was sagst du dann? Und wenn ich dir weiter erzähle, daß dieser Gartenbauschüler mir gestern eine Warnung durchs Fenster geschossen hat: ›Finger ab de Röschti!‹ Wie antwortest du darauf?«

»Daß du ein Mondkalb bist«, sagte der Notar trocken.

»Das ist ein alter Witz«, meinte Studer griesgrämig. »Mondkälber nennen sich in Pfründisberg Statthalter und Ärzte. Willst du ihrem Beispiel folgen?«

Man merke, meinte der Notar Münch, daß der Herr Wachtmeister schon lange nicht mehr im Billardspiel gewonnen habe; durchs Verlieren werde seine Geistestätigkeit stets ungünstig beeinflußt... Studer murmelte ein Schimpfwort. Hernach fragte er, was ihm also die Ehre eintrage, einen so späten Besuch empfangen zu dürfen?

»Du bist«, sagte der Notar, »heute im Gerichtsmedizinischen gewesen. Was hat die Untersuchung der Nastücher ergeben?«

– Der Herr Notar sei eigentlich viel weniger dumm, als er aussehe, stellte Studer trocken fest, aber nun solle er endlich mit der Sprache herausrücken.

Münch öffnete seinen Rock, entnahm seiner Brieftasche einen Brief ... »Da, lies!«, sagte er.

Und Studer las:

»Pfründisberg, den 17. November 19 ..

Herrn Notar Hans Münch,

Bern.

Sehr geehrter Herr Notar!

Kurz nach dem Tode meiner Nichte Anna Hungerlott-Äbi änderte ich mein Testament folgendermaßen ab: Das Viertel meines Vermögens, das für meine Nichte bestimmt war, sollte in zwei Hälften geteilt werden: Die eine war für den Gatten der Verstorbenen, den Hausvater der Armenanstalt bestimmt gewesen, die andere für Paul Wottli, Lehrer an der Gartenbauschule Pfründisberg. Diese neue Klausel bin ich gezwungen noch einmal abzuändern und ich bitte Sie, mich morgen, den 18. November, um 10 Uhr vormittags, besuchen zu kommen. Ich bitte Sie, mein Testament mitzubringen, da ich gedenke, es neu zu schreiben – einen Entwurf habe ich schon gemacht, so daß wir schnell fertig wären. Ich muß Sie bitten, die von mir angegebene Stunde ja nicht zu verpassen. Die letzten Tage habe ich mich nämlich einem meiner Bekannten gegenüber über mein Projekt geäußert und ich fürchte, daß dieser nichts Eiligeres zu tun gehabt hat, als diesen Entschluß zu kolportieren. Dadurch aber, daß andere Leute von meinem Vorsatz Kenntnis erhalten haben, ist mein Leben doppelt gefährdet. Vor einigen Monaten machte ich zufällig die Bekanntschaft eines Ihrer Freunde und teilte diesem damals mit, daß mein Leben in Gefahr schwebe. Dieser Freund, Herr Wachtmeister Jakob Studer, stand meinem Berichte ziemlich skeptisch gegenüber. Es kam mir deshalb ratsam vor, mich an Sie zu wenden, da Sie ein Freund dieses Kriminalisten sind. Ich wäre Ihnen sehr dankbar, wenn Sie Herrn Studer beiziehen würden, falls mir etwas geschehen sollte. Es schien mir nur notwendig, Ihnen kurz zu erklären, warum ich mich an Sie gewandt habe, als es galt, mein Testament aufzustellen.

Auf Wiedersehen morgen früh. Mit hochachtungsvollen Grüßen! Ihr ergebener

James Farny.«

Studer besah den Brief von allen Seiten, er war mit der Maschine geschrieben.

»Sicher hat er eine Kopie behalten!«

»Sicher!« bestätigte der Notar.

»Aber die Kopie habe ich unter seinen Sachen nicht gefunden...«

»Ich auch nicht«, sagte der Notar unschuldig.

»Ja, hast du das Zimmer durchsucht?«

Der Notar zuckte die Achseln: »Ich war eben früher da als die Fahndungspolizei... Es kommt manchmal vor, daß Notare früher aufstehen als Fahnder...«

Studer kratzte sich verlegen im Nacken, sein Nachthemd – der Kragen war mit roten Blümlein bestickt – stand offen und ließ seinen mächtigen Hals frei. Der Wachtmeister fragte:

»Ist der Tote schon auf dem Grab gelegen, wie du angekommen bist?«

Münch zuckte wieder mit den Achseln: »Leider kann ich mit keiner Auskunft dienen. Ich bin direkt in die Wirtschaft gegangen, hab' nach dem Zimmer vom Farny gefragt – die Serviertochter führte mich hin und dann wartete ich dort... bis um 12 Uhr. Schließlich ist mir das Warten zu dumm geworden, die Fahndungspolizei hat auch viel Lärm gemacht in der Wirtschaft und so bin ich hinüber in die Armenanstalt. Wenn du den herzlichen Empfang erlebt hättest! Der Hausvater hat mich gebeten, bei ihm zu wohnen, hat mir ein Zimmer zur Verfügung gestellt und mich zum Mittagessen eingeladen. Ich hätte nie gedacht, daß man in einem Armenhaus so gut zu Mittag ißt... Er war sehr freundlich, der Hausvater Hungerlott, bitter hat er sich beklagt über den Verlust seiner Gattin – und ich muß ja sagen, daß es schwer ist, seine Frau zu verlieren...«

Studer sah seinen Freund an: der Notar lächelte – und es wäre eine Übertreibung gewesen, hätte man das Lächeln gütig genannt.

»Darmgrippe!« sagte Münch. »Darmgrippe...! Unter dem Namen ›Darmgrippe‹ kann sich allerlei verbergen..., meinst du nicht, Studer?«

»Hm, hm«, brummte Studer. »Der Marshsche Spiegel war sehr deutlich... und der Assistenzarzt im Gerichtsmedizinischen war seiner Sache sicher...«

»Arsen?« fragte Münch – »Hm, hm.«

Wenn nicht das Schnarchen des Ludwig Farny die Luft

im Raume erschüttert hätte, wäre es sehr still im Zimmer gewesen ...

»Du hast da einen guten Wecker«, meinte Münch und deutete mit dem Daumen nach dem Bette des Knechtleins. Studer seufzte: »Weißt, er hat's nicht schön gehabt. Er ist Verdingbub gewesen, dann war er beim Hungerlott in der Kost, ist durchgebrannt und hat mit einem Meitschi zusammen im Wald gelebt ... vielleicht erbt er jetzt ... ich möcht's ihm gönnen.«

»Ich auch«, sagte Münch. Dann zog der Notar noch einmal seine Brieftasche, entnahm ihr ein handgeschriebenes Dokument und reichte es Studer. Sein Inhalt lautete, kurz zusammengefaßt: James Farny, geboren dannunddann, heimatberechtigt in Gampligen, vermache sein Vermögen, bestehend aus amerikanischen und englischen Devisen sowie aus Edelsteinen, die in einem Safe des Crédit Lyonnais lägen, zu gleichen Teilen: seiner Schwester Elisa, Ehefrau des Äbi Arnold, ihrem unehelichen Sohne Ludwig Farny sowie ihren ehelichen Kindern Ernst und Anna. Sterbe eine dieser vier Personen vor dem Tode des Erblassers, so sei das Vermögen unter den zurückbleibenden Erben zu verteilen. Keinen Erbanspruch zu erheben habe Arnold Äbi, Ehemann der Elisa geb. Farny. Ein Codizill, welches mit dem Datum des 10. November versehen war, enthielt folgende Bestimmung: Der Gatte seiner Nichte Anna, Hungerlott Vinzenz, erhalte beim Tode seiner Frau den Anteil seiner verstorbenen Gattin. Von diesem Anteil jedoch habe er die Hälfte an Wottli Paul, Gartenbaulehrer Pfründisberg, abzugeben. Testamentsvollstrecker sei Notar Münch.

»Das Testament ist datiert vom 25. Juli«, sagte Studer. »Warst du dabei, wie er es aufgesetzt hat?«

Münch nickte; seine gefalteten Hände lagen auf den Schienbeinknochen und sein Kinn wetzte sich an den hohen Kniescheiben.

»Am fünfundzwanzigsten Juli«, sagte er verträumt. »Ich konnte mir damals die Sache nicht recht erklären: Warum, zum Beispiel, hatte sich James Farny an mich gewandt? Warum berief er sich auf dich? Wer hatte ihm von unserer Freundschaft erzählt? – Vielleicht erinnerst du dich, Jakob, daß wir am 20. und 21. Juli zusammen Billard gespielt haben, in unserem gewohnten Café. Ist dir an den beiden Abenden nichts aufgefallen?«

Studer unterdrückte ein Gähnen. Dann schüttelte er den Kopf. »Wenn ich Billard spiele«, meinte er gelangweilt, »dann vergeß ich meinen schönen Beruf. Ich werd doch nicht kontrollieren, wer mir zuschaut, wenn mir eine Serie von zehn Punkten gelingt. Oder?«

»Das weiß ich«, sagte Münch. »Darum hab ich dir auch nicht erzählt, daß mich der Farny am 25. Juli, morgens um elf Uhr besucht und mich zuerst über dich ausgefragt hat. Alles mögliche wollte er wissen: Ob du Erfolg habest in deiner Karriere, warum du es nur bis zum Wachtmeister gebracht habest und anderes mehr. Da sang ich dein Lob und erklärte ihm, daß in unserem Lande nur die Leute Erfolg hätten, die irgendeiner Partei angehörten. Der Studer aber war nie bei einer Partei – im Gegenteil. Einmal hat er sich in einer Bankaffäre, die vertuscht werden sollte, weil einige bekannte Leute darin kompromittiert waren, bös die Finger verbrannt. – ›Ah!‹ sagte Farny darauf. ›Das ist interessant!‹ – Na, meinte ich, für den Studer sei das nicht interessant gewesen, denn dadurch habe er seine Stelle verloren und von vorne anfangen müssen. Höher als zum Wachtmeister werde er es wohl nicht bringen, denn erstens habe er keine Verwandten (und Protektion nenne man in der Schweiz einfach ›Vetterliwirtschaft‹) und zweitens lasse man allzugescheite Leute gerne an den unteren Stellen kleben und bediene sich ihrer nur, wenn man sie unbedingt brauche. Dann könne man ihnen befehlen – und alles sei in Ordnung. ›Wenn also ein komplizierter Fall ist, wird da Herr Studer mit der Untersuchung betraut?‹ – ›Ja!‹ sagte ich, ›das kann ich Ihnen sogar garantieren. Man nimmt dann nur ihn – und der Fahnderhauptmann sowohl als auch der Polizeidirektor stützen dann den Studer, lassen ihn machen, was er will – bis der Fall beendet ist. Dann wird der Studer wieder in die Rumpelkammer getan und darf sich ausruhen ...‹ – ›Oh‹, sagte der Farny darauf, ›das ist interessant. So geht es, glaub ich, in allen Ländern zu. Gut; jetzt wollen wir das Testament schreiben.‹ Er erzählte mir, was er schreiben wolle, ich diktierte ihm, er schrieb nach. Dann ließ er das Testament bei mir. Bevor er fortging, sagte er (und dabei hatte er die Türklinke in der Hand), wahrscheinlich werde er ermordet werden. Von einem seiner Verwandten, von einem seiner Bekannten – das sei alles unsicher. Aber er hätte schon zweimal fast das Leben eingebüßt, wenn er nicht gewohnt wäre, auf sich aufzupassen. Ja ... Das wollte ich dir noch erzählen ...«

»Merci, Hans!« Selten nur nannte der Wachtmeister seinen Freund beim Vornamen – und heute fiel es ihm besonders schwer, denn er erinnerte sich, daß der sezierte Güggel ebenfalls Hans geheißen hatte. Und etwas wie Angst stieg in ihm auf: War nicht schon einer gestorben, der zuviel wußte? Der Gartenbauschüler Äbi? Drohte dem Notar auch Gefahr? »Und los einisch! Paß dann auf, daß dir nichts passiert, Hans! Hast du verstanden?«

»Äh jaa! Mach dir keine Sorgen!«

»Das Testament bestimmt also, daß Farnys Vermögen in vier Teile zerfallen muß. Nid wahr? Zwei Erben sind gestorben, daher erhält der Ludwig, dem es schlecht gegangen ist im Leben, die Hälfte des Vermögens und seine Mutter die andre.«

»Falsch! Du bist müd, Jakob. Du kannst ja nicht rechnen! In drei Teile wird es geteilt: Ludwig Farny, Elisa Äbi und Vinzenz Hungerlott. Der Teil des Hausvaters zerfällt auch: die Hälfte bekommt der Lehrer Wottli...«

»Weiß der Wottli das?«

»Nach dem Brief ist es zu vermuten. Aber es kann auch möglich sein, daß nur Hungerlott um die Sache weiß – und der Wottli nichts. So, jetzt will ich gehn. Schlaf wohl!«

– Ob er den Brief und das Testament behalten dürfe, fragte Studer. Münch nickte. Dann sagte er noch, gewissermaßen als Abschluß seiner nächtlichen Visite: »Weißt, Jakob, ich hätt dich ja nicht besuchen können, heut abend. Denn die ganze Zeit, seit ich gestern angekommen bin, hat mich der Hausvater keinen Augenblick aus den Augen gelassen. Ich bekam ein Zimmer, das neben dem Schlafzimmer lag und nur eine Tür hatte. Wenn ich fortgehen wollte, mußte ich an Hungerlotts Bett vorbei. Heut abend bin ich umquartiert worden, weil ein neuer Gast erschienen ist – und der Besuch muß sehr wichtig gewesen sein, denn ich bin vergessen worden. Darum hab' ich mich fortschleichen können . . . !«

Wieder überfiel den Wachtmeister jenes grundlose Angstgefühl. »Hans, paß auf!« sagte er, und der Notar blickte ihn erstaunt an.

»Was soll denn mir passieren?« fragte er erstaunt.

Studer hob die Schultern und brummte etwas. Dann stand er auf und begleitete seinen Freund zur Tür.

»Fall mir nicht die Treppen hinunter, gell?« Münch lachte nur.

Studer lag im Bett (es war angenehm, sich endlich ausstrecken zu können), starrte in das Licht und dachte nach . . .

Man mußte sich hüten vor voreiligen Schlüssen. Schließlich, auch wenn die Frau des Armenvaters gestorben war, bedeutete das keinen Gewinn für den Hungerlott . . . Es war eine verkachelte Geschichte. Am Abend hatte man mit dem Vorsteher der Armenanstalt gejaßt und feststellen können, daß der Mann gut spielte; er mußte einen Trumpf, er mußte einen Bock in der Hinterhand haben, denn – und dies war nicht schwer festzustellen gewesen – der Hausvater spielte gut, er spielte mit Überlegung, nicht aufs Geratewohl . . . Wenn er den Wortlaut des Testamentes kannte, dann hatte er sicher einen Gegenzug parat, um den Wottli aus dem Felde zu schlagen. Schließlich riskiert ein gebildeter Mann nicht zwanzig Jahre Zuchthaus wegen vorsätzlichen Giftmordes, nur um ein Vermögen zu ergattern, von dem er genau weiß, daß er es doch teilen muß. Studer dachte ganz klar und das Schnarchen seines Zimmergenossen störte ihn nicht, sondern begleitete seine Denktätigkeit wie ein angenehmes Liedlein …

Und noch eines durfte man nicht vergessen: Großräte, Ärzte kamen morgen zu Gast. War dieses der Trumpf?

Halt! Obacht! Nicht in den Fehler verfallen, nur einen Schuldigen zu sehen … Der Gartenbaulehrer Wottli war auch an der Sache interessiert … Es genügte nicht, daß er kein unsympathischer Mensch war, seine alte Mutter unterhielt und sich hinaufgearbeitet hatte … Es sprach einiges gegen ihn. Die Erbschaft am Thunersee z. B. Der blutige Schlafanzug war in ein Papier eingewickelt gewesen, auf dem *seine* Adresse gestanden hatte – und die Adresse war ausradiert worden. Wer wußte von der Ausräucherung des Gewächshauses durch Blausäure? Der Lehrer Wottli … Wer trug den Schlüssel zum Gewächshaus stets bei sich? Der Lehrer Wottli. – Das einzige, was für den Mann sprach, war die Tatsache, daß sein Motiv nicht deutlich zu sehen war. Was konnte den Lehrer zu zwei Morden getrieben haben? Aber schließlich, *er* hatte das neue Präparat zur Samenbeize in seinem Besitz, *er* experimentierte mit ihm … konnte man sich nicht vorstellen, daß dieser Wottli sich in die junge Frau Hungerlott verliebt hatte, daß er abgewiesen worden war und die Frau aus Rache vergiftet hatte? … Und wenn einige Schüler Bescheid wußten, so kannte sich Ernst Äbi sicher am besten aus … – Hatte sich ausgekannt! … Vielleicht wußte auch das Knechtlein etwas?

»Ludwig!«, das Schnarchen wurde schwächer, »Ludwig!«

Der Bursche fuhr im Bett auf: »Hä? Was isch passiert?«

»Los einisch, Bürschtli!« Ob er auch etwas davon gemerkt habe, daß der Lehrer Wottli in die Frau Hungerlott verliebt gewesen sei …

Das Knechtlein rieb sich die Augen. Zuerst verstand es nicht, wovon die Rede war, und der Wachtmeister mußte seine Frage dreimal wiederholen. Endlich war Ludwig im Bilde. – Ja, an jenem 18. Juli habe er die beiden gesehen; sie seien zusammen spazieren gegangen …

– Was denn die Frau Hungerlott für eine gewesen sei, wollte der Wachtmeister wissen.

»E schöns Wyb!« Die Augen des Burschen leuchteten. – Eine feste Postur, meinte er, streng sei sie auch gewesen, aber sie habe immer noble Kleider getragen und häufig sei sie nach Bern zum Coiffeur gefahren, um sich frisieren zu lassen … und ihri Kralle hett sie agstryche …

Dem Wachtmeister fiel das Trili-Müetti ein und die Beschreibung, die das Weiblein von der Hausmutter gegeben hatte …

»Ah, und noch eins: sie hat immer die Buchhaltung geführt …«

»So … so … die Buchhaltung!« meinte Studer. Diesmal war sein Gähnen herzhaft und echt – ein Gähnen ohne Hintergedanken. Er fühlte, wie seine Lider schwer wurden: »Tue denn nid z'vill schnarche, Ludwig!«

»Ja, Herr Wachtmeister …«

»Und lösch's Liecht!« Nach fünf Minuten schliefen beide und keiner störte den anderen … Es wäre sogar schwierig gewesen, festzustellen, wessen Schnarchen lauter dröhnte, das des Wachtmeisters oder das des Ludwig Farny …

Lehrer Wottli will verreisen

Studers letzte Gedanken vor dem Einschlafen waren gewesen: »Der Fall ist so weit fortgeschritten, daß Pressieren nur schaden kann.« Deshalb beschloß er auszuschlafen. Erst um 9 Uhr erschien er mit seinem Gehilfen Ludwig im Gastzimmer, wo der Uralte vor einem Tische saß und durch eine verbogene Stahlbrille die Zeitung studierte. Als der Wachtmeister unter der Tür erschien, empfing ihn der Wirt mit einem freundlichen Grinsen:

»Pfründisberg wird berühmt«, krächzte er. »Zwei Mordfälle, Wachtmeister, zwei Mordfälle! Ja, ja, Pfründisberg wird berühmt, wie es schon einmal berühmt gewesen ist, zur Zeit von meinem Großvater... Da hieß es ›Bad Pfründisberg‹ und die Herren aus der Stadt kamen zur Kur in die ›Sonne‹... Aber dann hat natürlich die Regierung das alte Kloster aufgekauft und eine Armenanstalt draus gemacht... Da sind die besseren Herrschaften fortgeblieben. Denn wisset, Wachtmeister, die Reichen sehen nicht gern die Vaganten. Und seither ist die ›Sonne‹ eine Schnapsbeize geworden, wo sich die Armenhäusler ihr Bätziwasser holen... Hin und wieder gibts bei mir schon eine Gräbd, wenn ein Bürger von Gampligen stirbt und im Friedhof drüben begraben wird. Sonst kommen noch die Schüler ein Glas Bier trinken, aber der Sack-Amherd siehts nicht gern – am liebsten kommt er allein und klopft hier einen Jaß mit dem Hausvater und dem Schranz und dem Gerber... Auch ich helf' manchmal mit, aber wisset Ihr, ich bin schon alt, ich seh' nicht mehr gut die Karten, und zu meiner Zeit hat man den Kreuzjaß gespielt und nicht den dummen Schieber... Am interessantesten ist es, wenn der Hungerlott, der Direktor und der Schranz ›zugere‹ um fünf Rappen den Punkt... Dann hört man erst, wie so noble Herren fluchen können... Wißt Ihr schon, daß morgen ein paar Herren die Anstalt inspizieren wollen?«

– Ja, das habe er gehört, brummte Studer. Aber jetzt wolle er einen starken Kaffee, ohne Zichorie, und Anken und Käs'. Wo denn 's Huldi sei...?

Der Wirt übernahm es selbst, die Serviertochter herbeizurufen und das Meitschi mit der bleichen Gesichtsfarbe brachte nach fünf Minuten schon das Gewünschte. Dem Ludwig merkte man es an, wie stolz er war, mit dem Wachtmeister zusammen am gleichen Tische zu sitzen... Er benahm sich gut, der Bursche, aß säuberlich, steckte nicht allzugroße Brocken in den Mund und brauchte nur selten das Messer zum Essen. Auch schlürfte er nicht beim Trinken.

Um halb zehn waren die beiden fertig und brachen auf, nachdem sie sich vom Wirte verabschiedet hatten. Unterwegs hielt der Wachtmeister seinem Schützling eine Rede: – Da könne der Ludwig sehen, wie alles in der Welt sich verändere. Was sei zum Beispiel diese Beize für eine schmucke Wirtschaft gewesen, früher? Ludwig solle sich das recht deutlich vorstellen: die Chaisen, die Bernerwägeli, die vorgefahren seien – schöngekleidete Männlein und Weiblein hätten das Haus betreten, in den Zimmern gewohnt, die nun leer stünden, verstaubt, Tummelplätze für Mäuse und

Ratten ... Dafür habe der Staat zwei Anstalten eröffnet: ein Neubau sei die eine, die andere aber so geblieben, wie sie von Mönchen aufgerichtet worden sei vor fünf-, wer weiß, vielleicht vor sechshundert Jahren. In der neuen Schule würden Gärtner herangebildet – zukünftige Arbeitslose, und in der anderen die Armen, die man nicht mehr brauchen könne, mit ein wenig Suppe und Kaffee gespiesen, um sie wenigstens nicht auf der Straße verhungern zu lassen ... Sehr philosophisch war an diesem Morgen der Wachtmeister Studer von der kantonalen Fahndungspolizei ... Für ihn, sprach er weiter, hätten solche Armenanstalten immer etwas Trauriges. Er erinnere sich an Frankreich, an Paris besonders, da gebe es auch Arme – aber man lasse ihnen wenigstens das höchste Gut, das ein Mensch besitzen könne: die Freiheit. Die Polizisten drückten beide Augen zu, wenn sie einen betteln sähen; im Winter, wenn es kalt sei, säßen die Armen auf den Stufen der Untergrundstationen, um dort ein wenig Wärme zu ergattern und auf den Tag zu warten. Kurz seien die Nächte in der großen Stadt, schon um vier Uhr könne man die Armen bei den Markthallen sehen: sie hülfen den Gärtnern, die mit Frühgemüse kämen, ihre Wagen abladen, es falle ein wenig Geld für sie ab – und Essen auch. Tagsüber liefen sie durch die Straßen und eigentlich seien die Menschen – die Arbeiter besonders – nicht geizig, hier ein Fränklein, dort ein paar Sous. Hingegen hier in der Schweiz ... Er, der Wachtmeister, wolle ja nichts gegen sein Heimatland sagen. Aber diese Wohltätigkeit am laufenden Bande sei ihm immer auf die Nerven gegangen.

Winzige weiße Wolken krochen über einen tiefblauen Himmel, ein sachter Wind spielte mit den dürren Gräsern am Wegrand. Der Wachtmeister war guter Laune, Ludwigs Augen, deren Blau so merkwürdig glänzte, waren auf sein Gesicht geheftet, der Junge schien die Worte zu trinken – niemand hatte jemals so zu ihm gesprochen und Gedanken bestätigt, die manchmal in ihm aufstiegen. Und nun ging da neben ihm ein älterer Mann, dessen mageres Gesicht eigentlich nicht zu dem mächtigen Körper paßte, und sprach diese Gedanken aus, die nur wie Larven durch seinen jungen Kopf gekrochen waren, gab ihnen Form, ließ sie flattern und durch die Luft gaukeln wie bunte Schmetterlinge...

»Märci«, sagte Ludwig. Studer blickte zur Seite, sah das freudige Gesicht und verstand dies Dankeswort, trotzdem es eigentlich keine Beziehung zu seinen Ausführungen hatte.

»Ja, Ludwig, du wirst jetzt reich werden«, meinte Studer. »Aber wenn du dann Geld hast, darfst du nicht vergessen, daß du einmal ein Armenhäusler gewesen bist. Du hast im Walde gehaust und Körbe geflochten mit dem Mädchen Barbara – warum? – nur um frei zu sein. Freiheit... Heutzutage weiß man ja nicht mehr, was eigentlich Freiheit ist...«

»Wart hier auf mich«, sagte Studer und stieß die Türe auf, die in die Halle der Gartenbauschule führte. Stille. Nur das Brünnlein murmelte und die Chrysanthemen rochen nach Friedhof. Kein Mensch im langen Gang; hinter der Türe, gegenüber vom Direktionsbureau, sprach eine eintönige Stimme und Studer erkannte sie wieder.

»... und somit ist Arsen der Grundstoff für einige Schädlingsbekämpfungsmittel. Auch in Beizmitteln läßt er sich nachweisen, in Uspulun ...« Studer klopfte scharf an und öffnete die Türe.

Auf den Bänken, die sich in drei Reihen aufbauten, saßen Schüler. Sie nickten Studer zu. Dann beugten sich die Köpfe wieder über die aufgeschlagenen Hefte, Füllfederhalter kratzten – die Schüler schrieben nach.

Der Lehrer Wottli wurde rot und es war nicht ein natürliches Erröten, sondern ein fleckiges.

»Wa ... wa ... as wünschet Ihr?«

»Einen Moment nur, wenn Sie so gut sein wollen.«

»Aber gern.«

Der Lehrer folgte dem Wachtmeister auf den Gang hinaus. Studer trat ins Direktionsbureau – es war leer – bat den Lehrer zu warten, schloß dann die Türe und telephonierte. Das Gespräch dauerte eine Weile, endlich war er fertig und wußte, daß Ernst Äbis Leiche in einer Stunde geholt werden würde. Auf dem Gange rief er nach Ludwig Farny, übergab ihm den Schlüssel zur Eingangstür des Gewächshauses und trug ihm auf, dort zu warten. Niemand dürfe den Raum betreten außer den zwei Sanitätspolizisten. Und nachher solle Ludwig die Türe wieder schließen. Ob er verstanden habe?

»Ja ... Studer« – »So ist's recht!«

Wottli hatte sein selbstsicheres Wesen ganz verloren. Der große, magere Mann stand mit gesenktem Kopfe mitten im Gang, seine Hände lagen gefaltet auf seiner Brust. Er tat dem Wachtmeister leid – denn Studer hatte ein weiches Herz.

»Zeigt mir zuerst noch das Pult des Verstorbenen«, sagte er bittend. »Dann können wir zusammen an irgendeinen

Platz gehen, wo wir nicht gestört werden. Welchen schlagt Ihr vor, Wottli?« (Wottli! Ein Versuch war diese Anredeform – wie würde der »Herr Lehrer« darauf reagieren?)

»Mein Zimmer, Studer ... Wenn Euch das recht ist.«

Der Versuch war gelungen und der Wachtmeister freute sich. Der knochige Mann war nicht mehr hart – er würde sprechen. Und sicher hatte er viel zu erzählen ... Nun schwieg er eine Weile und Studer wartete geduldig. Endlich:

»Macht's Euch nichts aus, Studer, allein ins Klassenzimmer zu gehen? Ich mag nicht mehr. Einer der Schüler wird Euch schon das Pult vom Äbi zeigen. Wollt Ihr?« Der Wachtmeister nickte. Die Durchsuchung des Pultes war sicher nutzlos – aber man mußte sie dennoch vornehmen, um sagen zu können, man habe seine Pflicht getan.

Er behielt recht. Hefte, Hefte, Hefte – alle glichen sie den Wachstuchheften, die man an einem Juliabend unter einer hellen Lampe gesehen hatte. Und sicher stammten die damals gesehenen Hefte aus dem gleichen Geschäft wie diese hier. Titel: »Gemüsekultur.« – »Düngerlehre.« – »Treibhaus.« – »Obstbaumlehre.« Und so weiter ... Die Buchstaben in Blockschrift ... »Stauden.« Beim rothaarigen Amstein bedankte sich der Wachtmeister. Dann trat er wie ein Lehrer vor die schwarze Tafel und hielt eine Ansprache: – Er hoffe, sagte er, die Schüler wüßten Bescheid. Eine Untersuchung sei hier im Gange, und bis dies zu Ende sei, müsse er die Anwesenden bitten, die Schule nicht zu verlassen. Es sei dies zwar nur eine Formsache, aber immerhin ... Jetzt habe er mit dem Lehrer, der draußen auf ihn warte, eine Zeitlang zu sprechen. Während der Abwesenheit Herrn Wottlis bitte er die Klasse, ruhig zu bleiben und sich mit einer anderen Arbeit zu beschäftigen. Vor allem aber müsse er verlangen, daß niemand das Treibhaus betrete, besser noch sei es, wenn es überhaupt nicht aufgesucht werde. Ob man ihm dies versprechen wolle? – Amstein stand auf, erklärte, er sei hier Klassenchef und werde dafür sorgen, daß die Wünsche des Wachtmeisters erfüllt würden. Studer dankte und verließ die Klasse.

»So«, sagte Studer draußen auf dem Gang. »Jetzt können wir gehen. Wo wohnt Ihr eigentlich, Wottli?«

»In der Wirtschaft ›zur Sonne‹.«

Studer blieb stehen. »Wo?« fragte er erstaunt.

»In der Wirtschaft; warum erstaunt Euch das?«

»In welchem Stock?«

»Im ersten ... Im Zimmer über dem Farny.«

»Wird nid sy ...«

Sie nahmen den Weg, der am Armenhaus vorbeiführte. Still war es im Hofe – 's Trili-Müetti sang nicht, wusch nicht. Und niemand tanzte mit einem Reisbesen über die festgetretene Erde ...

Hinter Wottli betrat der Wachtmeister das Zimmer – und was er sah, erstaunte ihn wenig. Zwei Koffer standen auf dem Boden, Studer hob sie auf. Sie waren voll gepackt. Auf dem Tische lag ein braunes Heftli – der Schweizer Paß.

»Wollt Ihr verreisen?«

»Ja ... Aber ich wär' nicht fortgefahren, ohne mit Euch zu sprechen.«

»Und warum wollt Ihr verreisen?«

»Ich hab Angst, Studer.«

»Vor mir?«

Kopfschütteln. Schweigen. Studer griff an:

»Was habt Ihr mit der Frau Hungerlott gehabt, Wottli?«

»Wißt Ihr das auch schon?«

»Denket doch, daß Ihr in einem kleinen Kaff gelebt habt. Meinet Ihr, niemand habe Euch gesehen?«

»Wohl... Schon... Aber ich hab mir nichts vorzuwerfen. Nur – die Frau war unglücklich. Der Mann quälte sie und sie hatte niemanden. Einmal habe ich sie getroffen – das ist schon lange her, sechs Monate vielleicht – da sprach sie mich an. Der Hungerlott war nicht daheim, sondern nach Bern gefahren. Und wir sind damals zum erstenmal miteinander spazieren gegangen. Sie hats nie schön gehabt, die Anna. Daheim nicht – dann nahm sie in einem Bureau eine Stelle an und dort lernte sie ihren Mann kennen. Eigentlich hat sie ihn nur geheiratet, um aus der Stadt zu kommen und ihren Vater nicht mehr zu sehen. Und hier ist es ihr auch nicht gut gegangen.«

Studer hatte sich auf einen Stuhl gesetzt – und nun hockte er da, in seiner Lieblingsstellung, die Hände gefaltet, die Unterarme auf den Schenkeln.

»Wie ist sie gestorben?«

»Ich darfs nicht sagen... Ich darfs nicht sagen!«

»Warum?«

»Weil ich nichts beweisen kann.«

»Mit wem habt Ihr über die Sache geredet?«

»Woher wißt Ihr das? Woher wißt Ihr, daß ich mit jemandem über den Tod der Anna geredet hab?«

Selbst ein gütiger Mensch rächt sich bisweilen gerne.

»Ich hab gmeint, Ihr seid so beschlagen in Kriminologie? Ihr habt doch Werke durchgearbeitet, oder?«

»Aber Studer! Ihr müßt mich nicht verspotten! Es war ein Fehler von mir, gestern so zu sprechen – aber ich hab Angst gehabt, daß Ihr etwas ... etwas ... etwas ... gefunden habt!«

Gefunden? ... Studer grübelte. Was hätte er finden können? Sein Gesicht blieb ausdruckslos, als er sagte:

»Vielleicht hab ich etwas gefunden.«

»Was müßt Ihr dann von mir denken! Glaubt Ihr nicht, daß ich mich dumm benommen hab?«

Dumm benommen ...? Studer versuchte es mit einem Lächeln. Wottli brauste auf: »Natürlich, jetzt lacht Ihr mich aus! Warum? Weil ich Liebesbriefe geschrieben hab? Ich hatte sie doch gern, die Anna! Sie wollte scheiden, wir hätten geheiratet ... Sie behauptete, sie habe meine Briefe versteckt – und jetzt ... jetzt hat sie die Justiz ...« (Wahrhaftig! Wottli sagte »Justiz« ... Und nicht etwa Schroterei ...) »Wer hat Euch die Briefe gegeben? Wenns der Ernst Äbi war, so hat er seinen Tod verdient. Saget, wars der Ernst Äbi? Oder sein Vater? Oder seine Mutter? Ich konnte nie erfahren, wo die Anna meine Briefe verbarg ... Und Ihr waret doch gestern in der Aarbergergaß. Bei meiner Mutter. Sie hat auch versucht, die Briefe wieder zu finden. Sagt mir doch, von wem Ihr sie habt!«

Studer schwieg. Innerlich freute er sich, weil er sich gestern nicht geirrt hatte: Popingha, der holländische Gartenbauschüler, hatte ihm das Ende des Fadens in die Finger gegeben, mit dem man den Knäuel aufdröseln konnte.

Es lag auf der Hand: Farny James, der »Chinese«, hatte

die Briefe besessen – darum war das letzte Heft, in das er geschrieben hatte, verschwunden. Das Heft und wahrscheinlich eine Schreibmappe, die Papiere enthielt. Wie war der »Chinese« zu diesen Briefen gekommen?

»Wie ist Frau Hungerlott mit ihrem Onkel ausgekommen?« fragte Studer.

»Ihr beantwortet mir meine Frage nicht, und ich soll Euch Auskunft geben?«

»Wottli! Denkt ein wenig nach! Ich kann nicht antworten, weil ich nicht sicher bin. Ihr könnt mir antworten, um mir zu helfen. Wollt Ihr das tun? Ich tu dann mein möglichstes, um Euch am Sonntag reisen zu lassen. Ist Euch das recht?«

»Erst am Sonntag? Warum nicht heut? Meint Ihr, ich wolle anwesend sein, wenn Ihr Eure Aufklärung erzählt?«

Studer dachte angestrengt nach – welches war die beste Lösung? Sollte er, der einfache Fahnderwachtmeister, den Richter spielen? Er hielt die Lider gesenkt und rührte sich nicht, während Wottli im Zimmer hin und her lief. Der Lehrer schien das Schweigen nicht ertragen zu können, denn er begann wieder aufgeregt zu sprechen:

»Nur einmal in der Woche ist der Hungerlott in die Stadt gefahren – nur einmal konnt ich die Anna sehen. So vorsichtig sind wir gewesen – immer haben wir uns im Wald getroffen. Nie sind wir zusammen in Pfründisberg gesehen worden – aber ein Schüler hat uns einmal im Wald ertappt. Ertappt! Ja... Er hat gegrinst, der Holländer. Nur einmal hab ich mich mit der Anna hier getroffen – da ließ sie mich rufen. Ihr Mann wollte ihren Stiefbruder verhaften lassen. Sie mochte das Knechtlein gerne und bat mich, auch mit ihrem Mann zu sprechen. Ich tat's dann – aber ungern. Und weil wir uns nicht sprechen konnten, schrieb ich ihr Briefe. Während ihrer Krankheit schrieb ich jeden Tag und gab dem Ernst, ihrem Bruder, der sie jeden Tag besuchen ging, die Briefe mit. Einmal – nein, ein paarmal – bat ich sogar den Onkel darum. Der besuchte sie auch. Einmal hat sie dem Ernst einen Brief mitgegeben. Darin schrieb sie, jemand vergifte sie. Aber ich wollte es nicht glauben ... Trotzdem ... trotzdem ich dem Hausvater einmal ... einmal ... Nein! Ich kanns nicht sagen!«

Schweigen. Studer wartete. Sein Stuhl stand vor dem Tisch, auf dem der Paß lag. Der Lehrer saß hinter ihm auf dem Bett. Der Wachtmeister lauschte, die Muskeln seiner Beine waren gespannt – beim leisesten Geräusch in seinem Rücken wollte er sich rechts vom Stuhl auf den Boden fallen lassen, um einem Angriff auszuweichen. Erfolgte der Angriff jedoch nicht, so hatte ein Mensch seine Unschuld bewiesen. Um ganz sicher zu gehen, fragte er leise:

»Wie hieß die Samenbeize, Wottli?«

Ein Seufzer. Er klang befreit. Feste Schritte waren zu hören – und kein Schleichen. Gerade aufgereckt stand der Lehrer vor dem Wachtmeister: »Also, habt Ihr begriffen? Habt mich verstanden? Wie ich gestern das Uspulun – jawohl, Uspulun heißt es – in der Tasche des Toten sah, wußte ich, daß die Anna recht hatte. Sie war von ihrem Bruder vergiftet worden – warum? Weil der Ernst erben wollte. Versteht Ihr? Wie muß einem Lehrer zumute sein, der entdeckt, daß einer seiner Schüler ein Mörder ist? Und der Mörder begeht Selbstmord! Denn Ihr glaubt doch nicht an die Schlüsselverwechslung? Oder?«

Studer blieb regungslos sitzen. Er hob nicht den Kopf, und seine Hände blieben gefaltet.

»Wenn man denkt, wie der Fremde, der doch sein Onkel war, für den Burschen sorgte! Und ich bin sicher, daß dieser Ernst nicht nur seine Schwester, sondern auch seinen Onkel ermordet hat! Ihr nicht auch, Studer? So redet doch endlich! Hocked doch nicht da wie ein Ölgötz! Der Fremde hat sich hier ankaufen wollen – den Garten sollte ich entwerfen, ihn mit meinen Schülern anlegen. Ich schlug ihm vor, einen Wettbewerb zu machen – unter meinen Schülern. Jeder sollte einen Plan zeichnen, für den besten sollte er einen Preis geben von fünfhundert Franken. Das wär doch schön gewesen, und der James (›Jammes‹ sagte der Lehrer) war einverstanden. Ich wollte gar nichts verdienen – und als er mir eine Erbschaft versprach, wurde ich bös und sagte, nie würde ich sie annehmen. ›Du wirst es schon, wenn ich tot bin, Paul!‹ antwortete er darauf. Ja, so ist es zugegangen!«

Langsam, ganz langsam entfalteten sich Studers Hände, seine Beine streckten sich, der breite massige Rumpf stieg in die Höhe und der Schnurrbart zitterte. Die Augen streiften im Zimmer umher, sahen die Bücher an den Wänden: Groß und Locard und Rhodes, sie erinnerten den Wachtmeister an seine eigene Bibliothek.

»Paul«, sprach der Wachtmeister und legte seine Hände auf die Schultern des Lehrers. »Du bist ein großer Kriminalist. Aber tu mir einen Gefallen. Pack fertig und fahr noch heut über die Grenze. Ans Meer, wenn du willst. Schick mir dann deine Adresse, damit ich dich auf dem laufenden halten kann. Es ist besser, wenn du gleich abreist, verstanden?

Ohne die Mutter zu besuchen. Die Aarbergergasse ist nicht gesund für dich. Leb wohl und gute Reis'!«

Studer schritt zur Tür, wandte sich um, winkte mit der Hand. »Leb wohl« wiederholte er. »Dem Sack-Amherd erklär' ich dann deine ... deine ... Abwesenheit.«

Paul Wottli, Lehrer für Chemie, Düngerlehre, Topfpflanzenkultur, Spezialist für Orchideen, blieb in der Mitte des Zimmers reglos stehen. Er lauschte auf die schweren Tritte, welche die hölzernen Stufen zum Ächzen brachten. Als sie leiser wurden, kam plötzlich Leben in den mageren Mann. Er stürzte zur Tür, riß sie auf und beugte sich über das Geländer:

»Studer! Studer!« Keine Antwort. Wottli seufzte, dann mußte er lachen. Es war ein tiefes und leises Lachen. »Ich schreib ihm dann«, flüsterte er. »Der Studer! und Duzis haben wir auch gemacht!«

Ein leerer Tag

Halb zwölf war es schon, als Studer die Wirtschaft verließ, um Ludwig Farny aufzusuchen. Das Knechtlein stand vor der Tür des Treibhauses und sprach mit zwei Männern. Der eine, klein und vif, rauchte eine Zigarette, der andere, der aussah wie ein pensionierter Schwingerkönig, saugte an einem Stumpen. Sie winkten beide, als sie Studer auftauchen sahen, und kamen gemächlich näher.

»So«, meinte der Wachtmeister, »Ihr seid schnell gekommen. Und – habt ihr schon die Bekanntschaft meines Helfers gemacht?«

Fahnderkorporal Murmann, der seit einem Jahre den Gerzensteiner Landjägerposten verlassen hatte, weil seine Frau lieber in der Stadt wohnen wollte, nickte und schlug mit dem gestreckten Zeigefinger auf seinen Stumpen. – Ludwig sei ein gäbiges Bürschli, meinte er. Und der vife Kleine (es war der Gefreite Reinhard) stimmte diesem Ausspruch zu.

Ob die Leiche schon abgeholt worden sei? fragte Studer. Die beiden nickten – Murmann schritt rechts, Reinhard links vom Wachtmeister – Ludwig Farny kam auch und überreichte Studer den Schlüssel zur Eingangstür.

»War sonst niemand da?« fragte er. Kopfschütteln. »Gut, dann könnt ihr beide euch heute ausruhen. Ich brauch euch erst morgen. Wenn ihr wollt, könnt ihr nach

Gampligen fahren – du bist doch auf dem Töff gekommen, Murmann, oder?« Der pensionierte Schwingerkönig nickte. »In Gampligen bleibt Ihr in einer Wirtschaft – die Krone ist glaub' ich ganz gut – und wartet dort. Wenn ich euch heut noch brauche, so läut ich euch an. Morgen mach ich dann Schluß. Es kommt Besuch in die Armenanstalt und das wird günstig sein. Wir haben dann Zuhörer und Zeugen – ich freu mich... Kommt jemand von uns?«

»Der Hauptmann hat gesagt, er sei eingeladen. Der Schreiber der Armendirektion nehme ihn im Auto mit.«

»Wer kommt sonst noch?«

»Ein paar Großräte, ein Sekretär vom Departement und zwei Assistenten, einer von Meiringen, von wo der andere kommt, weiß ich nicht. Weißt, es sind so Leut', die Gutachten schreiben...«

»Mhm... Also, auf morgen!«

Die zwei empfahlen sich.

»Komm, Ludwig! Hilf mir suchen!« Die Zurückgebliebenen traten ins Gewächshaus, öffneten die Türe, die gestern versperrt gewesen war – von innen – und Studer schritt langsam um den viereckigen Tisch, dessen eine Hälfte mit spannenbreiten Brettern umgeben war. Die Erde, die darin aufgeschichtet war, war oben mit einer Schicht von Sägespänen bedeckt; wahrscheinlich sollte sie ein Austrocknen der Pflanzenwurzeln verhindern.

»Hier ist der Ernst gelegen«, sagte Studer verträumt. »Und da stand dein Stiefvater... Oder ist's dir lieber, wenn ich ihn ›Äbi‹ nenn'?« Ludwig nickte schweigend. »Wir wollen hier suchen. Da hat's ein ganz kurzstieliges

Häueli, das wird uns nützlich sein.« Und der Wachtmeister begann, mit den zwei Zacken der Jäthacke die Sägspäne zu bearbeiten. Langsam und methodisch arbeitete er und sprach dazu mit Ludwig.

»Gestern hat euch der Wottli das z'Nacht gebracht; erinnerst du dich noch, ob der Ernst vom Kaffee getrunken hat?«

Ludwig blickte erstaunt auf.

»Woher wisset Ihr das, Herr Studer?«

Der Wachtmeister hielt in der Arbeit inne. »Was hast du gesagt, Ludwig?« Das Knechtlein wurde rot.

»Woher wisset Ihr das?« Stocken, dann: »Studer?«

»So ist's besser. Woher ich das weiß? Ich zeig' dir's dann. Jetzt wollen wir weiter suchen ...«

Ludwig grub mit den Nägeln in der aufgehackten Erde. Plötzlich sagte er: »Hier!« und bot Studer einen rostigen Schlüssel. Der Wachtmeister nahm ihn zwischen Daumen und Zeigefinger, ging ans Licht, betrachtete das Ende hinter dem Bart lange und nachdenklich. »Es stimmt. Komm, Ludwig!«

Draußen angekommen, verschloß Studer die Türe und schritt auf die Wirtschaft zu. »Eine Atmosphäre haben wir erledigt«, brummte er. »Jetzt wollen wir mit der zweiten Schluß machen. Und die dritte versparen wir uns für morgen.«

Am Fuße der Steintreppe blieb Studer stehen und blickte hinüber auf den Friedhof. Dann zuckte er mit der Schulter. »Komm, Ludwig«, sagte er. »Wir müssen uns beide rasieren. Du hast ja einen Bart!«

Er ging in die Küche, verlangte heißes Wasser. Huldi versprach, einen Krug zu bringen. Studer ging in das Zimmer, in dem vor kurzer Zeit noch der »Chinese« gewohnt hatte.

Die Serviertochter brachte das Verlangte und der Wachtmeister begann sich einzuseifen. Dann reichte er dem Ludwig den Pinsel. »Kannst dann den Apparat auch grad gebrauchen – wenn du willst.«

Er sah es dem Knechtlein an, daß diese Aufforderung etwas Ähnliches bedeutete wie ein Ritterschlag. Denselben Apparat brauchen zu dürfen wie der Wachtmeister!

»Märci ... Gärn ... Studer!« stotterte der Bursche und eine Blutwelle stieg in sein Gesicht.

Es klopfte. »Herein!« ächzte Studer, der sich gerade den Seifenschaum aus den Ohren wusch. Brönnimann erschien.

»Wachtmeister! der Wottli ist fort!«

»So ...« Studer trocknete sich das Gesicht. »Dann können wir in sein Zimmer hinauf!« Er setzte sich aufs Bett und wartete bis Ludwig fertig war. »Ich brauch' Euch nicht, Brönnimann. Wann kann man essen? Bald? Sagen wir in einer halben Stunde. Ich will noch einen Freund holen gehen.«

Der Wirt verschwand, dann konnte man ihn hören, wie er in der Küche Befehle gab.

»Komm, Ludwig!« Die beiden stiegen die Treppen hinauf, öffneten die Türe des verlassenen Zimmers und traten ein. Die Bücher standen noch auf den Regalen, die an der Wand angenagelt waren. Studer trat davor. Eine kleine Glastube lag am Fuße eines dicken Bandes. Der Wachtmeister nahm sie in die Hand, trat zum Fenster und las die Etikette. Er zog den Zapfen aus dem Glasröhrchen, schüttete eine der winzigen Pillen auf seine Hand, roch daran, berührte sie mit der Zungenspitze und murmelte: »Geruch- und geschmacklos. Eine gute Medizin! Natürlich, unterm Betäubungsmittelgesetz ... War dir nicht ein wenig sturm, wie du gestern abend aufgewacht bist? Sag, Ludwig?«

Ja, erwiderte das Knechtlein. Es sei ihm nicht ganz wohl gewesen ...

»Der gute Wottli! Er muß gesehen haben, wie der Ernst mit seinem Vater zusammengetroffen ist. Vielleicht hat er Verdacht geschöpft ... Und um Ruhe zu haben, hat er euch beide einschläfern wollen. Hätte der Ernst Kaffee getrunken, so wär er nicht gestorben ...«

»Ja, glaubt Ihr ... hm ... Studer, daß der Ernst Selbstmord begangen hat? Hat Euch der Wottli das erzählt?«

»Der Wottli hat's geglaubt – weil er nicht gesehen hat, daß wir den Schlüssel gefunden haben. ... Geh jetzt ins Gastzimmer und wart auf mich. Ich will noch den Notar holen ...«

»Welchen Notar?«

»Du hast gut geschlafen, gestern abend ...« Studer lachte, ging zur Tür, blieb noch einmal stehen. »Jetzt sind wir auch mit der zweiten Atmosphäre fertig. Wie wird's in der dritten zugehen?«

Eine Viertelstunde später kam Studer zurück. Sein Gesicht war finster. Er schien Ludwig gar nicht zu sehen, sondern ging ans Telephon, stellte eine Nummer ein, verlangte den Gefreiten Reinhard an den Apparat und wartete. Dann: »Kommt beide sofort zurück! Lasset das Töff ein paar hundert Meter vor der Wirtschaft stehen. Und dann sucht den Wald ab. Münch ist verschwunden ... Sie sagen zwar, er sei nach Bern ins Bureau gefahren, aber ich weiß, daß es nicht stimmt. Ich hab' den Wärter ausgefragt im Armenhaus und ein paar Insassen. Niemand hat den Münch gesehen heut morgen und der Hungerlott behauptet, er sei um acht Uhr fortgefahren. Etwas stimmt da nicht.«

Der Wachtmeister behielt recht. Den ganzen Nachmittag hockte er im Gastzimmer. Um sechs Uhr abends läutete das Telephon. Da niemand in der Gaststube war, außer ihm und Ludwig, ging er selbst den Hörer abnehmen. Murmann sprach – und Studer nickte. Dann sagte der Wachtmeister leise: »Laß den Reinhard zu Fuß gehen und nimm du den Verletzten mit. Pflegt ihn und bringt ihn morgen früh hierher.«

In dieser Nacht schlief Studer tief und fest. Das Knechtlein aber saß im Dunkeln und bewachte seinen väterlichen Freund...

Beginn des Endes

Um halb sechs Uhr schon fuhr draußen ein Auto vor und Studer erwachte. Er zog seinen Mantel an, schlich zur Haustür und stieß den Riegel zurück. Er sah, wie drei Leute dem Auto entstiegen – dann fuhr der Wagen ab. Langsam kamen sie auf die Treppe zu – der in der Mitte Gehende stützte sich schwer auf die beiden andern ...

»Grüeß di, Hans«, sagte der Studer leise.

»Salü!« Münch lächelte.

»Komm mit. Du kannst abliegen auf meinem Bett. Und sprich nicht zuviel. Deine Geschichte kannst du dann nach dem Mittagessen erzählen. Ich glaub', dort drüben wissen sie noch nichts. Der Hungerlott hat mich gestern zum Mittagessen eingeladen ...«

»Studer, paß auf!« murmelte Münch. Er hatte Mühe zu sprechen. »Du weißt nicht, was du riskierst ... Hinterlistig sind sie ... Hast du noch den Brief und das Testament?«

Sie waren in Studers Zimmer angekommen. Der Notar legte sich nieder. Um acht Uhr schickte der Wachtmeister den Ludwig Frühstück holen. »Bring es selbst!« kommandierte er.

Bis elf Uhr hielten die drei Fahnder Kriegsrat. Dann, als Studer alles ausgepackt hatte, stand er auf. Vor dem Fenster fuhren Autos vorbei. Die Besucher der Armenanstalt begannen einzutreffen.

»Du kommst mit, Ludwig!« befahl der Wachtmeister. Und dann brachen die beiden auf ... Sie traten ins Haus, die Halle war leer. Studer stieß die Türe auf, die in den Speisesaal der Armenhäusler führte. Die Tische waren besetzt und die Insassen trugen frischgewaschene, blaue Überkleider; es roch nach Fleischsuppe. Die Gamellen bis zum Rande gefüllt und ein halber Laib Brot lag vor jedem Platze. Die Armen aßen.

Studer verlangte zum Direktor geführt zu werden. Und der Mann kam mit.

Diesmal zog der Wärter nicht am Klingelzug, ganz tief und untertänig beugte er sich herab bis zur Klinke, lauschte am Schlüsselloch und klopfte dann, leise. Drinnen verstummte ein Gespräch. Die Tür wurde aufgerissen: Vinzenz Hungerlott rief freudig aus:

»Ah, der Herr Wachtmeister!« Studer solle doch nähertreten, er werde Bekannte finden. Dann erst bemerkte der Hausvater Ludwig Farny, sein Gesicht verzog sich, so als ob er Zahnweh habe: der sei doch nicht eingeladen, meinte er und fragte, ob das Knechtlein auch dabeisein müsse!

»Ja!« sagte Studer trocken.

Hungerlott tat als bemerke er die Unhöflichkeit nicht. Seine einladende Bewegung konnte den beiden gelten – oder nur dem Wachtmeister. Studer schielte auf seinen Begleiter ... Merkwürdig: Der Ludwig war nicht rot geworden.

Die beiden traten ein, durchschritten einen Gang; ein Stubenmädchen öffnete die Tür zu einem Raum, dessen Luft blau war von Zigarrenrauch. Likörgläser standen herum.

»Elsi, bring noch zwei Gläser«, befahl Herr Hungerlott.

Es gab keine langen Vorstellungen. Die meisten der Herren kannte Studer – war er doch früher Kommissär an der Stadtpolizei gewesen. Zwei Schreiber der Armenbehörde – jeder von ihnen war stolz, wenn man ihn »Herr Sekretär« nannte –, ein älterer schwerhöriger Mann aus der Fürsorgestelle für entlassene Sträflinge, Großräte in Schwalbenschwänzen. Und noch einer saß da, ein wenig entfernt von den übrigen: Studers Vorgesetzter, der Polizeihauptmann. Seine Gesichtshaut war bleich, sein Schnurrbart lang und grau. »Ah, der Studer!« nickte der wohlgekleidete Herr und winkte mit seiner mageren Hand. »Und? Hast du etwas gefunden?«

»Wir wollen warten bis nach dem Essen«, flüsterte der Wachtmeister. – »Gut, gut ... Meinetwegen. Aber blamier dich nicht.« – Studer schüttelte den Kopf. »Heut nicht«, flüsterte er, »heut sicher nicht ... Alles werd' ich nicht erklären können. Aber ich hab noch zwei Leut' eingeladen: eine Frau und einen Mann. Auch sie werden nach dem Essen kommen.« Studer blickte zu Hungerlott hinüber. Der Hausvater war in ein Gespräch mit einem der jungen Assistenten vertieft. Vater Äbi saß neben ihm – und er fiel nicht besonders auf.

»Was will der Schroter hier?« trompetete einer der Schreiber. Studer blinzelte und sagte, der Statthalter von Roggwil habe ihn rufen lassen und da die Angelegenheit nun erledigt sei, habe er sich zu einem guten z'Mittag einladen lassen ... Die letzten Worte wurden von einer Gelächterwoge fortgeschwemmt, denn einer der Großräte hatte einen Witz erzählt und ein anderer begann ein neues G'schichtli.

Wieder Gelächter... Hungerlott füllte die Gläser... Anstoßen. Schwatzen... Dicker wurde der blaue Rauch. Studer stand am Fenster, blickte über das Land und fragte sich, warum die ganze Versammlung ihm gespenstisch vorkam: das Klirren der Gläser, das Trinken der appetitanregenden Schnäpse, das Lachen über die Witze, der Duft der Zehnerstumpen, der Zigaretten... Durchs Fenster konnte der Wachtmeister rechts den Friedhof sehen mit seinen Grabmälern aus weißem, aus rotem Stein, mit seinen schwarz gestrichenen Holzkreuzen – und seinen frischen Gräbern. Gerade gegenüber erhob sich die Wirtschaft »zur Sonne« und rechts – etwa vierhundert Meter entfernt – stand breit und massig und weiß (nur das Dach trug dunkle Ziegel) die Gartenbauschule. Im Parterre waren die Fenster geöffnet, sie rahmten viele junge Köpfe ein, deren Augen wohl auf den gläsernen Würfel des Treibhauses gerichtet waren, in dem am vorgestrigen Abend einer den Tod gefunden hatte... Aber nicht die Aussicht auf die beiden nun erledigten Atmosphären quälte den Wachtmeister, auch nicht der Blick auf die vielen Obstbäume, die, korrekt nach der Pfründisbergmethode gestutzt, ein wenig verkrüppelt aussahen. Nein, das Bedrückende, Unheimliche machte sich in seinem Rücken breit – ein Mörder, vielleicht gar zwei, taten unschuldig, um die letzte Partie zu gewinnen. Hatten sie Trümpfe in den Händen? Wollten sie etwas probieren? Glaubten sie, in Sicherheit zu sein, weil sie gestern versucht hatten, den gefährlichsten Zeugen zum Verschwinden zu bringen? Den Notar Münch? Und was drohte ihm, dem anwesenden Fahnder, der kein gutes Leumundszeugnis besaß und wenig Freunde?

Hinter ihm sagte eine Stimme:

»Sie nimmt sich viel zu wichtig, die Schroterei. Viel zu wichtig!«

»Ganz myni Meinig!« antwortete eine zweite. Diese Stimme glaubte der Wachtmeister zu kennen. Er drehte ein wenig den Kopf, schielte aus den Augenwinkeln – natürlich! Der Arnold Äbi mußte seinen Senf geben. Er saß neben dem Ofen, in seinem dunklen, ausgebürsteten Sonntagsgewand, nickte von Zeit zu Zeit, sprach ein paar Worte, um den Ausspruch eines anderen zu bestätigen, kurz: er gab sich Mühe, kein Aufsehen zu erregen; er wagte es nicht, ein Bein übers andere zu schlagen... Aber während Studer ins Zimmer schielte, fesselte ihn ein anderes Gesicht: Schweigsam in einer Ecke saß das Knechtlein... Ludwig Farny hatte das rechte Bein über das linke gelegt und seine gefalteten Hände umspannten sein Knie. Auch sein billiger Anzug war sauber gebürstet – 's Huldi hatte wohl geholfen... Fast hochmütig wirkte sein starres Gesicht und die Augen, die so auffallend blau leuchteten, hatten sich an seinem Stiefvater festgesehen... Verachtung lag in ihnen und Stolz. Und, wahrhaftig, der Ludwig durfte stolz sein. Hatte er nicht aus den Gesprächen der Polizeileute erfahren, daß Farny James' Vermögen ihm zufallen würde und seiner Mutter? Daß die beiden Männer, die ihn gequält hatten, der eine als er noch klein war, der andere in späteren Jahren, nicht nur leer ausgehen würden, nein, daß ihnen nun auch die Zelle bevorstand, die dünne Suppe, der Zichorienkaffee? Das

Knechtlein hob die Augen, seine Blicke blieben an des Wachtmeisters massiger Gestalt hängen, stiegen höher... Unmerklich nickten sich die beiden zu – eine Lachsalve knatterte wieder. Keiner der Anwesenden hatte das stumme Einverständnis dieser zwei bemerkt...

Vinzenz Hungerlott trug einen schwarzen Gehrock, in der fertiggebundenen Plastronkrawatte steckte eine Nadel, deren falsche Perle kurz aufschimmerte, wenn der Spitzbart waagrecht stand. Ein Klopfen an der Türe, der Hausvater hob die Hände, um Schweigen zu gebieten... »Darf ich die Herren zum Essen bitten?« Der Aufbruch vollzog sich in guter Ordnung – aus den vielen Aschenbechern stiegen durchsichtige, schmale Bändchen gegen die Decke. Es ging durch einen Gang, über rote Steinfliesen (Bodenwichse hatte sie zum Glänzen gebracht), das Stubenmädchen öffnete eine andere Tür: »Wenn dr weit so guet sy...!«

Ein Damasttischtuch spannte sich über die lange Platte, vor jedem Teller funkelten Kristallgläser von verschiedener Form (Studer fielen die Gläser ein, die an jenem Juliabend in der Schnapsbeize erschienen waren – Erbstücke wohl aus der Zeit, da die »Sonne« noch ein »Bad« gewesen war). Als die Gäste saßen, begann das Meitschi auf der Anrichte die Suppe zu schöpfen – füllte einzeln jeden Teller und brachte ihn einem Gast. Nun klapperten die Löffel gegen die Böden der Porzellanteller, Schlürfen war zu hören... »Es feins Süppli...!« – »Usgezeichnet!« – »Ja, er kann sich halt eine gute Köchin leisten...« Hungerlott nickte dankend und putzte seinen Spitzbart.

Ganz zuunterst am Tisch, dort, wo man gewöhnlich die

unwichtigen Gäste hinsetzt, saß Studer neben dem Knechtlein. Der Wachtmeister bewunderte den Anstand, mit dem Ludwig den Löffel hielt... Er schlürfte nicht – oben am Tisch jedoch ging es bedeutend lauter zu...

Unterbruch eines Mittagessens...

Nun, Herr Wachtmeister, wollen Sie uns nicht etwas aus Ihrer Karriere erzählen? Zum Beispiel die Geschichte mit der Bank? Damals waren Sie doch Kommissär an der Stadtpolizei und brauchten sich Ihre Freunde nicht unter entlassenen Armenhäuslern zu suchen? Oder?« Das Lachen, das entstand, schien dem Sprecher zu schmeicheln – Hungerlott beugte den Kopf, wie ein Schauspieler, der beklatscht wird.

Ludwig Farny zuckte zusammen, er öffnete den Mund – aber Studer stieß ihn mit dem Fuß an: »Ruhig, Bürschtli...« flüsterte er, räusperte sich dann.

»Ja, damals interessierte ich mich eben nicht für Pauperismus«, meinte er trocken. »Um den Pauperismus kennenzulernen, muß man wohl bei einem Hausvater zu Mittag essen...«

Betretenes Schweigen. Die Jungfer begann die Teller abzuräumen – ihr spitzer Ellbogen traf Studers Schläfe. Der Wachtmeister blickte auf – das Mädchen besaß grüne Augen und sie waren mit Haß geladen. »Mhm«, brummte Studer. Münch hatte recht – man mußte aufpassen. Da das Schweigen anhielt, sprach Studer weiter: »Außer dem Ludwig hab' ich übrigens noch einen anderen Freund – und der bereitet mir Sorgen. Ich hoffte, ihn hier zu treffen. Können Sie mir sagen, wo der Notar Münch ist, Herr Hungerlott?«

Der Hausvater war wirklich ein ausgezeichneter Schauspieler. Sein Gesicht verzog sich und drückte Erstaunen aus: »Ich habe Ihnen schon gestern gesagt, daß der Notar am Morgen nach Bern zurückgefahren ist.«

»Merkwürdig... Weder daheim noch in seinem Bureau konnt' ich ihn erreichen. An beiden Orten hab' ich angeläutet...«

»Dann wäre es wohl klüger gewesen, Sie wären in die Stadt gefahren, nicht wahr?«

Studer schwieg. Der Polizeihauptmann begann zu sprechen und beendete hiermit das erste Vorpostengefecht.

Das Stubenmädchen schenkte aus einer verstaubten Flasche Rotwein in die Gläser – so zwar, daß der Wachtmeister und sein Schützling zuletzt bedient wurden. Dann wurde vor jeden der Gäste ein angewärmter Teller gestellt und eine Platte herumgereicht, auf der Milkenpasteten lagen. Auch diesmal wurden die beiden unten am Tisch zuletzt bedient...

War es dem Reinhard, war es dem Murmann gelungen, ungesehen in die Armenanstalt einzudringen und das Arbeitszimmer des Hausvaters zu durchsuchen? Oder hatte Hungerlott diesen Zug pariert, indem er die Armenhäusler, die vorgestern abend in der Beize Krach geschlagen hatten – (Studer war sicher, daß er die gleichen Gesichter am 18. Juli gesehen hatte) – als Wache in den Gängen verteilt?

»Trink nicht von dem Wein«, flüsterte Studer. Aber Hungerlott schien diese Warnung gehört zu haben, denn er stand auf, ging um den Tisch herum, mit jedem anstoßend – und jeder leerte hierauf sein Glas. Der Wachtmeister nippte an dem seinen und stellte es wieder ab, und Ludwig folgte seinem Beispiel. Der Hausvater erkundigte sich besorgt, ob der Wachtmeister krank sei? Auch Vater Äbi fragte seinen Stiefsohn, was denn los sei? Das sei guter Wein! Ludwig gab keine Antwort.

– Ja, das sei immer so, klagte Vater Äbi. Mit Mühe und Not habe man seine Kinder aufgezogen, ihnen eine gute Erziehung gegeben – und wenn man sie dann in Gesellschaft führe, werde man blamiert...

»Schwyg!« flüsterte Studer seinem Schützling zu, der protestieren wollte – Äbi sei nicht sein Vater! – Es war eine aufregende Situation... Gewiß, die Herren, die sich zum Zeitvertreib das Armenhaus ansehen wollten, riskierten nichts, aber ein simpler Fahnderwachtmeister, von dem der Täter wußte, daß er nicht an Darmgrippe glaubte, ein solcher Mann war gefährdet. Darmgrippe ist eine ansteckende Krankheit, besonders, wenn man nicht weiß, wieviel von den Kügeli verschwunden sind, die eine deutsche chemische Fabrik einer Gartenbauschule zur Prüfung geschickt hat. Solche Kügeli lösen sich leicht auf – und wenn man noch in Betracht zieht, daß ein Witwer den Gastgeber spielt, daß besagter Witwer sich von einem Frauenzimmer bedienen läßt... Ein Witwer ist ein begehrtes Heiratsobjekt... Um Hausmutter zu werden, wird so ein Stubenmädchen allerlei Befehle ausführen, Befehle, die man ihr mundgerecht machen kann; ein Schabernack sei vorgesehen: man wolle einem überklugen Schroter einen Streich spielen, ihm ein Abführmittel eingeben – eine harmlose Sache, aber wie lustig für die andern Gäste...! Und wie blamiert würde dann so ein Schroter dastehen! Hatte der Fahnder erst das aufgelöste Kügelchen geschluckt, wurde er krank, dann war es leicht, ihm unter dem Vorwand einer schnellen Hilfeleistung die Brieftasche zu entwenden und mit ihr die Dokumente... Wem hätte sie der Notar sonst geben können?

Und während Studers Augen träge blickten, stellte er eine Frage: Ob Herr Hungerlott erlaube, daß der Wachtmeister schnell sein Telephon benütze? Vielleicht sei Münch nun daheim – beim Essen. Er müsse ihm etwas mitteilen... (Dies war eine Ausrede, Studer wollte nur nachsehen, ob die beiden Fahnder das Arbeitszimmer durchsuchten).

Wenn Studers Augen den trägen Ausdruck eines wiederkäuenden Ochsen hatten, paßte er gewöhnlich scharf auf. Und so entging es ihm nicht, daß Vater Äbi mit Hungerlott einen Blick tauschte... Furcht? Verlegenheit? Nein, Feindseligkeit...! Hatten die beiden sich entzweit? Möglich war es. Wenn Geld im Spiele ist, wird manche Freundschaft lahm.

Der Hausvater lächelte sauer: – Aber gewiß! Das Telephon stehe gerne zur Verfügung.

»Komm, Ludwig!« Studer stand auf. Immer mehr bewunderte er die schnelle Auffassungsgabe des Knechtleins. Ludwig wischte sich mit der Serviette ruhig die Lippen ab, legte das Tuch auf den Tisch und folgte seinem Freund.

Als Studer die Türe von draußen schloß, platzte drinnen wieder ein Gelächter. Schnell hatte sich der Wachtmeister orientiert: Dort war die Türe zum Arbeitszimmer, er öffnete sie... Der Raum war leer!

Also? Wo waren Murmann und Reinhard geblieben? Was hatte sie abgehalten? Der Wachtmeister versuchte, die

Schubladen am Schreibtisch zu öffnen – sie waren alle verschlossen. Er hob die Mappe, die auf dem Schreibtisch lag – sie war leer und enthielt nur ein paar Löschblätter.

»Schau schnell hinter den Büchern nach, Ludwig!« flüsterte der Wachtmeister und stieß eine Türe auf, die in ein Nebenzimmer führte. Zwei Betten standen darin – schöne Möbel, aus rotem Holz. Das eine stand beim Fenster, das andere an der hinteren Wand. Früher waren sie wohl nebeneinander gestanden. Drei Türen hatte das Zimmer: die eine, durch die Studer eingetreten war, die andere, dieser gegenüber, führte in ein weiteres Zimmer und die dritte endlich ging wohl auf den Gang. Im Zimmer daneben hatte Münch wohl geschlafen – im Arbeitszimmer war Hungerlott mit seinem Schwiegervater gehockt – und der Notar hatte durch die dritte Tür entweichen können. Studer trat ins Arbeitszimmer.

»Hast du etwas gefunden, Ludwig?«

»Nur dies Heft!«

Ein Wachstuchheft ... Ein Tagebuch ... Die Schrift des »Chinesen« wohl. Die letzte Eintragung trug das Datum: 17. XI. Pech! Das war Pech! Farny James hatte in englischer Sprache geschrieben – seine Schrift war nicht leicht zu lesen. Immerhin hatte der Schreiber vier Seiten gefüllt – und merkwürdig sah der Schluß aus. Ein Tintenklex, ein Loch im Papier ... War die Füllfeder zerbrochen? Studer riß die Blätter aus dem Heft ... »Leg's zurück, Ludwig! Wo hat's gelegen?«

»Hinter den Büchern dort!«

Studer trat näher, und während das Knechtlein das Heft an seinen Platz steckte, las Studer die Titel ... Pfründisberg schien eine große Vorliebe für Kriminalgeschichten zu haben. Nicht nur Wottli hatte sich für diese Literatur interessiert. Agatha Christie, Wallace ... Studer erinnerte sich, daß er dies schon einmal festgestellt hatte. Damals war Münch in einem Lehnstuhl am Kamin gesessen.

Schritte kamen näher, die Türe wurde aufgestoßen. Hungerlott betrat den Raum.

»Fertig, Herr Wachtmeister?«

»Ja, märci. Ich hab' mit Münch reden können ...«

»So? Wirklich? Das ist merkwürdig ...« Innerlich grinste Studer – aber gleich darauf ärgerte er sich darüber; denn der Hausvater sagte: »Merkwürdig, ja. Weil das Zimmermädchen nicht gehört hat, daß Sie telephonieren. Kommen Sie jetzt zurück. Und du dort auch!« Ludwig fletschte die Zähne wie ein wütender Hund. Aber der Wachtmeister klopfte ihm auf die Schulter. »Geh mir schnell etwas in der Wirtschaft holen. Willst? Spring!« Ludwig verstand – er sollte Murmann und Reinhard suchen ...

... und seine Fortsetzung

Die beiden Blätter steckten in Studers Brusttasche. Er folgte dem Hausvater und kehrte zu den Tafelnden zurück. Es roch nach Braten und fad nach Härdöpfelstock, den Salat hatte die Gartenbauschule gestiftet. Die Rotweingläser waren leer – nur die des Wachtmeisters und seines Schützlings noch voll – und das Mädchen ging herum mit einer langhalsigen Flasche und schenkte Weißwein aus. Diesmal stieß der Hausvater nur mit seinem Nachbarn an, dem Polizeihauptmann, beide nahmen einen Schluck aus ihrem Glas, ließen die Flüssigkeit schmatzend auf der Zunge zergehen ...

»Neuenstädter, 28er«, sagte der Hauptmann; der Hausvater nickte geschmeichelt. – Ja, der Herr Direktor sei eben ein Weinkenner ...

Studer war es, als erlebe er einen Traum. Zuviel neue Eindrücke waren einander gefolgt, zuviel neue Atmosphären hatte er kennengelernt. Er sah die Männer, die hier aßen, und zu gleicher Zeit erblickte er den Äbi Ernst, der tot im Gewächshaus der Gartenbauschule lag.

Wie ein Traum ...

In jenem Gewächshaus hatte eine Orchidee geblüht – und, merkwürdig, diese Blume sah der Wachtmeister plötzlich ganz deutlich: wie ein menschliches Gesicht war sie geformt, nein! wie eine Maske eher – und auch das war nicht richtig. Einem wächsernen Kopf ähnelte sie – und auch das war falsch. Sie glich dem Gesichte des toten »Chinesen«, denn sie hatte einen Hintergrund, der aus Erde und Moos bestand – und auch auf Moos und Erde war der Kopf des »Chinesen« gelegen …

Vater Äbi fragte giftig:

»Und? Wo habt Ihr Euren Schützling gelassen, Wachtmeister Studer?« Eine grobe Antwort brannte Studer auf der Zunge, aber er unterdrückte sie und antwortete gelassen:

»Er hat eine Kommission für mich machen müssen …«

Er streckte die Hand aus, so, als wolle er sein Weinglas packen, fuhr mit der Hand zurück – das Glas zerschellte auf dem Boden. Wortreich entschuldigte er sich: – Es tue ihm leid! So ungeschickt zu sein …! Als er aufblickte, sah er, daß Hungerlotts Stirnhaut gefurcht war. Der Hausvater trank sein Glas leer, winkte das Stubenmädchen herbei, ließ es sich füllen, leerte es zum zweiten Male … Auf Vater Äbis Stirne standen Schweißtropfen …

Der schwerhörige Fürsorgebeamte stand auf, wischte sich die Lippen, räusperte sich und begann eine Rede. In ihr lobte er die gute Administration der Armenanstalt, kondolierte dem Hausvater zu dem schweren Verlust, den er erlitten habe … Aber da sehe man es wieder: Ein Mann bleibe ein Mann und lasse sich vom Schicksal nicht bodigen. Nach wie vor erfülle der Hausvater seinen schweren Dienst, bringe die Zöglinge dazu, nützliche Arbeit zu tun, verwandle verpfuschte Existenzen in Arbeitskräfte, die der Gesellschaft dienten, kurz: Ein solcher Mann könne der jüngeren Generation als Beispiel vorgehalten werden:

durch Pflichterfüllung zeige er, wie man persönlichen Schmerz unterdrücken könne. Darum schlage er vor, den verdienten Hausvater hochleben zu lassen. Er habe geschlossen.

Stühlerücken ... Das Stubenmeitschi füllte die Gläser mit Schaffiser. Die Herren umdrängten Hungerlott, stießen mit ihm an, lobten, kondolierten ... Ihre Zungen waren ein wenig schwer und die Haut ihrer Gesichter bläulich.

»Wir trinken einen Kaffee im Arbeitszimmer«, sagte Hungerlott. »Ich zeige den Herren den Weg.« Und ging voraus.

Studer war es ungemütlich zumute ... Wenn Murmann und der vife Reinhard gerade diesen Augenblick benützt hatten, um das Zimmer zu durchsuchen, so war ein Skandal fällig. Darum blieb der Wachtmeister zurück und wartete, bis Hungerlott die Tür zu seinem Arbeitszimmer geöffnet hatte. Als er nichts Verdächtiges hörte, schloß er sich mit Ludwig dem letzten an.

Die große Kaffeemaschine war an der elektrischen Leitung angeschlossen, der braune Saft brodelte unter dem Glasdeckel – endlich zog der Hausvater den Steckkontakt heraus – das Brodeln beruhigte sich, die Tassen wurden gefüllt. Bei jedem der Herren fragte Hungerlott: »Kirsch? Rum? Zwetschgenwasser?« Bald waren auch alle die kleinen Gläser voll, die neben den Kaffeetassen standen; einige der Herren kippten sie, andere saugten in kleinen Schlukken die scharfe Flüssigkeit, Zigarren wurden in Brand gesteckt, Stumpen. Nur Ludwig rauchte eine Zigarette, und Studer, dem nichts angeboten worden war, begnügte sich mit seiner Brissago.

Der Hauptmann begann seinen Untergebenen aufzuziehen. – Was das denn für ein Mord gewesen sei? Ob der Köbu da nicht wieder einmal spinne? Ohne dem Herrn Hausvater nahetreten zu wollen – vielleicht handle es sich nur um eine simple Liebesaffäre, ein älterer Mann habe sich in seine Nichte verliebt und deren Tod nicht überstehen können... Selbstmord? hä? Soviel er wisse, sei auch der hiesige Arzt ein Vertreter der Selbstmordtheorie, und nur ein junger Statthalter, der gern eine Rolle habe spielen wollen, sei der Meinung gewesen, es handle sich um einen Mord...

Studer bediente sich des Schriftdeutschen, als er antwortete: »Es ist ja möglich, daß ich spinne. Aber vielleicht seid Ihr so gut und erklärt mir, wie ein Mann, der sich ins Herz geschossen hat, ein frisches Hemd anlegen, seine Weste, seinen Rock und seinen Mantel zuknöpfen kann... Wenn Sie mir diese Anomalien erklären können, dann will ich gerne der These des Selbstmordes zustimmen.«

Schweigen. Es war immer ungemütlich, wenn Studer Schriftdeutsch sprach: denn erstens artikulierte er die Worte fehlerlos, er sprach das Schriftdeutsche nicht wie ein Berner mit gaumigen Kehllauten und dann – das war die Meinung aller Herren – verstand dieser Wachtmeister keinen Spaß... Schließlich war man zu einem gemütlichen Mittagessen zusammengekommen und nicht, um den Rapport eines Fahnders über einen Mordfall zu hören. Der Hauptmann tat, als ärgere er sich. – Studer fuhr fort:

»Ich hätte gern Ihre Ansicht über Darmgrippe gehört, Herr Hauptmann...«

»Darmgrippe?« fragte der Vorgesetzte; viele Fältchen durchsetzten die Haut seines Gesichtes.

»Ja, Darmgrippe...«, sagte Studer trocken. – »Ich habe gestern durch Zufall... (er betonte die Worte ›durch Zufall‹)... drei Damennastücher entdeckt, die ich ins Gerichtsmedizinische mitgenommen habe. Die vom dortigen Assistenten vorgenommene Analyse ergab unzweifelhaft folgende Tatsache: der Auswurf, der die Taschentücher beschmutzt hatte, enthielt Arsen...« Studers Blicke wanderten im Kreise, er sah, daß alle Herren auf ihn blickten, und zu diesen Herren gewandt, sagte er trocken: »Vielleicht wissen auch Sie, daß Arsen ein Gift ist.«

Das war zuviel! Durfte man sich von einem einfachen Fahnderwachtmeister verhöhnen lassen? Worte schwirrten durcheinander: »Us dr Luft griffe!« – »Chabis!« – »Bewyse! Bewyse söll er syni Behauptige!« Studer dämpfte den Lärm mit erhobener Hand – und dabei kam ihm die Szene wieder in den Sinn, mit welcher der ganze Fall begonnen hatte: Der Landarzt Buff, der sich mit dem Statthalter Ochsenbein über die Leiche des »Chinesen« stritt...

Eine scharfe Stimme fragte: »Gedenkt Herr Wachtmeister Studer mich zu beschuldigen?« Der Hausvater Hungerlott saß steif aufgereckt in seinem Stuhl – sehr bleich war der Mann...

»Ich, Sie beschuldigen? Wie käme ich dazu!« Augenscheinlich ging es den Herren auf die Nerven, daß die Diskussion schriftdeutsch geführt wurde... – »Wie sollte ich Sie beschuldigen? Ich habe ja keine Beweise!«

Der Hausvater Hungerlott ließ sich zurückfallen, er schlug ein Bein übers andere, tauchte ein Stück Würfelzukker in seinen Kirsch, steckte es in den Mund und leerte sein Schnapsglas. Während er knirschend den Zucker zerbiß, sagte er mit vollem Munde: »Ich schlage vor, wir lassen die Diskussion über dieses unerfreuliche Thema fallen und beginnen mit dem Rundgang durch die Anstalt; der Herr Wachtmeister Studer kann sich ja anschließen ...« Obwohl auch der letzte Satz mit Zucker im Munde gesprochen worden war, klang sein Ton bitter.

»Natürlich!« – »Selbstverständlich!« – »Wir wollen die Anstalt sehen!« Studer blieb als letzter zurück, ihm war ungemütlich zumute. Die Durchsuchung des Arbeitszimmers hatte nicht geklappt. Warum waren Reinhard und der Murmann nicht gekommen?

Würdig schritt der Hausvater Hungerlott vor seinen Gästen einher:

»Wir sehen vor allem auf Sauberkeit! Sauberkeit ist unser bestes Kampfmittel gegen den Pauperismus. Sauberkeit und gesundes Essen. Bevor ich die Herren in die Schlafsäle führe, werde ich ihnen zuerst die Küche zeigen und sie bitten, die Suppe zu kosten, die heute den Insassen vorgesetzt worden ist ...«

Ein riesiger Herd ... Pfannen darauf; zwei Männer standen in der Küche, sie hatten saubere weiße Schürzen vorgebunden und trugen niedere weiße Kappen.

»Auch unsere Köche sind Insassen der Anstalt, unsere Bäcker desgleichen. – Moser, schöpf einen Teller Suppe, damit die Herren probieren können! ...« Der Blechteller war mit Schmirgelpapier geputzt worden. Fettaugen schwammen auf der dicken Erbsensuppe.

»Wunderbar!« sagte ein Schreiber in tiefstem Baß und

versuchte die Suppe. »Ich wär' froh, wenn meine Frau mir jeden Tag solche Suppe kochen würde!«

»Wollen Sie nicht auch probieren, Herr Wachtmeister?« fragte Hungerlott lächelnd. Studer dankte.

Er dachte an den Schnaps, den die Armenhäusler holen gingen am Samstagabend, mit dem Fränkli, das sie für die Arbeit einer Woche erhalten hatten. Ihm war übel.

Die Herren verließen die Küche.

»Ich werde Ihnen jetzt«, sagte Hungerlott, »die Schlafsäle der Insassen zeigen, hernach können wir, wenn es den Herren recht ist, die Werkstätten besichtigen, die Gärtnerei, den landwirtschaftlichen Betrieb...«

Keiner der Herren hörte die Bemerkung des einen Koches, nur Studer fing sie auf, weil er als letzter ging. Der Koch sagte zu seinem Kameraden: »Lueg... Und es wäre alles nicht so schlimm, wenn nicht so verdammt viel gelogen würde; schließlich, in der Küche sei es noch zum Aushalten, aber die anderen, die einen ganzen Morgen mit einer Gamelle dünnen Kaffees und drei Härdöpfeln werken müßten – für die sei es schlimm!«

Der Hof war leer, die Bise pfiff. In einer Ecke stand 's Trili-Müetti vor ihrem Zuber und wusch, und wusch... Die Lippen waren gesprungen, die Alte sang nicht, ein böser Husten zerriß manchmal ihre Brust. Als sie den Wachtmeister erblickte, winkte sie ihm zu, und als er nahe bei ihr stand, fragte sie: »Was hesch du mit mym Hansli ta?«

Der Wachtmeister hob seine Achseln, es war ihm, als stecke ihm eine große Kugel im Hals, die ihn am Sprechen hinderte...

Unter dem Dach eines Schopfes waren vier Alte mit Holzspalten beschäftigt...

»Das Gegengift gegen den Pauperismus«, dozierte Herr Hungerlott, »ist Arbeit, Arbeit, Arbeit. Wer nicht arbeitet, soll auch nicht essen. Selbst für den Ältesten, selbst für den Schwächsten finde ich immer noch eine Beschäftigung, die er imstande ist auszuführen... So fühlt er sich nicht nutzlos und hat den Eindruck, sein Essen zu verdienen, sein Taschengeld als Lohn zu erhalten und nicht als Almosen... Ich möchte hiermit der Armendirektion für die Einsicht danken, die sie stets bewiesen hat; durch diese Einsicht ist es mir ermöglicht worden, meine schwere Arbeit nach bestem Wissen und Gewissen zu erledigen und manchen Entgleisten wieder auf den rechten Weg zu führen! Ich weiß, daß ich viele Neider habe (ein giftiger Blick traf den Wachtmeister), aber allen Anfechtungen zum Trotz tue ich meine Pflicht und...«

Herr Hungerlott verstummte und blickte nach der Hoftür. Die Herren, die seiner Rede mit über dem Bauch gefalteten Händen gefolgt waren – und die brennenden Stumpen hingen in ihren Mundwinkeln –, rieben sich die Augen, als auch sie nach dem Hoftor sahen...

Ein Notar erscheint

Den rechten Arm um Ludwig Farnys Schulter gelegt, den linken Arm um die des Gefreiten Reinhard, wankte der Notar Münch durchs Hoftor. Sein Mantel war zerrissen, auf der Stirne hatte er eine Beule und zwei blutige Taschentücher waren um seinen Hals geschlungen. Studer ging ihm entgegen.

»Salü, Münch«, sagte er ruhig.

»Salü, Studer«, kam es heiser zurück.

– Ob er nicht abliegen wolle, fragte der Wachtmeister. Der Notar schüttelte müde den Kopf: – Er sehe dort den Hauptmann der Kantonspolizei, das werde wohl der geeignete Mann sein, dem man eine Aussage machen könne...

»Aber nicht hier«, sagte Studer, »du mußt an die Wärme.« Münch nickte.

Hinter sich hörte Studer plötzlich eine bekannte Stimme rufen: »Halt!« Als er sich umwandte, mußte er lächeln. Das Bild, das er sah, ähnelte so sehr der Aufnahme eines amerikanischen Gangsterfilms, daß man es nicht ernst nehmen konnte. Fahnderkorporal Murmann hielt einen Revolver in der Hand und ließ den Vater Äbi nicht aus den Augen.

»Soll ich ihn fesseln, Wachtmeister?« fragte er.

Studer lachte. Es war ein befreites Lachen. Am meisten belustigten ihn die Gesichter der Herren, die gekommen waren, eine Armenanstalt zu inspizieren.

Hausvater Hungerlott sagte mit spitzer Stimme:

»Ich protestiere! Gerichtliche Untersuchungen werden nicht auf diese Art geführt. Ein Fahnderwachtmeister und der Polizeihauptmann sind nicht berechtigt, Aussagen aufzunehmen – ich meine Aussagen, die einen juristischen Wert hätten ...«

Doch wer kam zum Tore herein? Elegant, in einem auf Taille geschnittenen Wintermantel? Herr Statthalter Ochsenbein, gefolgt von einem uniformierten Landjäger. Der Säbelgriff des Polizisten war auf Hochglanz poliert.

»Was ... ist ... das?«

»Ihr habt mir telephonieren lassen, Wachtmeister?« fragte Ochsenbein. Er hob den steifen Hut vom Kopfe und grüßte in die Runde.

»Ich wiederhole meinen Vorschlag«, sagte Studer, »wir begeben uns in das Arbeitszimmer des Herrn Hungerlott zurück. Die Herren werden mir dann erlauben, etwas zu erzählen. Ich verzichte auf jegliches Geständnis. – Murmann, du passest auf den Vater Äbi auf!«

Wieder ließ Studer die Herren vorausgehen, vor ihm schritt majestätisch Fahnderkorporal Murmann. Studer beschloß den Zug, Ludwig Farny wich nicht von seiner Seite.

Zuerst gab es ein Durcheinander: Stühle mußten herbeigeschafft werden, es dauerte eine Weile, bis alle Amtspersonen saßen. Für den Notar Münch hatte man den bequemsten Lehnstuhl ausgesucht, ein Hockerli davorgestellt, es mit Kissen bedeckt und die Beine des Verwundeten daraufgebettet. Es muß zugegeben werden, daß der Notar nicht ein übermäßig intelligentes Gesicht machte.

Studer sagte: »Erzähl jetzt bitte, Münch. Ich kenn die Geschichte, jetzt mußt du sie den anderen kund und zu wissen tun.«

Und der Notar begann zu sprechen. Sein Gesicht wachte auf. Er fing an von seiner Bekanntschaft mit jenem merkwürdigen Auslandschweizer zu erzählen, von dem Testament, das dieser aufgesetzt habe – und schon damals, bei der ersten Zusammenkunft, habe er den Eindruck gehabt, der »Chinese« (dieser Übername stamme von seinem Freunde Studer) fürchte sich, ermordet zu werden. Fürchte ... das sei übertrieben. Angst hat der Mann keine gehabt, im Gegenteil. Er war tapfer. Nur – er wollte nicht, daß sein Vermögen Leuten zufalle, die es nicht verdienten. Wäre er ohne Testament gestorben, so hätte seine Familie geerbt. Gegen seine Verwandten hatte der Farny nichts – aber seine Schwester sowohl als auch seine Nichte waren verheiratet. Die beiden Gatten gefielen ihm nicht.

»Wart einen Moment, Münch!« unterbrach Studer. »Es wäre gut, wenn Reinhard den einen Gatten durchsuchen würde. Los!«

Vater Äbi wehrte sich, aber es nützte ihm nicht viel. Studer brauchte nicht einzugreifen. In der Hintertasche der Hose steckte eine kleine Pistole. Der Wachtmeister nahm sie in die Hand. »Sechs fünfunddreißig«, nickte er. Dann klappte er den Kolben auf – im Magazin fehlten zwei Kugeln. Als er die Waffe öffnete, fiel oben eine ungebrauchte Patrone heraus. »Eine Kugel ist also abgeschossen worden«, sagte Studer und blickte nicht auf. »Weiter, Münch!«

»Mit der Zeit gelang es dem einen Gatten, sich beliebt zu machen. Als seine Frau starb, konnte er meinen Klienten überzeugen, ihm den Anteil, der seiner Frau zufallen sollte, zuzusprechen – aber der Witwer mußte sich verpflichten, die Hälfte des Anteils einem Freunde des nun Verstorbenen zu übergeben. James Farny wollte dies geheim halten, aber er erzählte gerne. An einem Abend erzählte er diese Änderung des Testamentes dem Freunde – wahrscheinlich drüben im Gastzimmer der Wirtschaft, der Wirt hörte dies und gab die Neuigkeit weiter an den Witwer. Wir nehmen an, daß der Witwer Lärm geschlagen hat – wahrscheinlich war er wütend, daß er um das Geld kommen sollte, obwohl er zu diesem Zwecke ein Verbrechen begangen hatte. Und, so nehmen wir an, James Farny durchschaute den Mann. Wieder glaubte er, für sein Leben fürchten zu müssen. Darum schrieb er mir und bestellte mich auf den 18. November, um 10 Uhr früh. Als ich in Pfründisberg ankam, war Farny tot. Kurz nach meiner Ankunft tauchte ein Fahnder auf – ich ging ihm aus dem Wege, denn plötzlich schien es mir, als hänge der Tod meines Klienten mit dem Tode seiner Nichte zusammen. Darum besuchte ich den Witwer, ließ mich von ihm einladen – in der Nacht schon hatte ich den Beweis, daß ich auf dem richtigen Wege war. Jemand schlich in mein Zimmer, durchsuchte meine Kleider – zum Glück hatte ich vorsichtshalber meine Brieftasche unter meinem Kopfkissen versteckt. Den ganzen folgenden Tag ließ mich der Mann nicht aus den Augen – doch in der folgenden Nacht gelang es mir, meinen Freund Studer zu besuchen. Mit ihm sprach ich über die ganze Angelegenheit – und wir kamen zu einem Schluß. Doch ich gelangte nicht mehr in mein Zimmer zurück. Ich wollte mir die Sache noch einmal durch den Kopf gehen lassen – aber ich hab' auf den Kopf bekommen ... Als ich auf der Straße ging, wurde mir plötzlich ein Sack über den Kopf gestülpt, ein paar Männer packten mich, fesselten mich – dann traf mich ein Schlag ... Ich bin erst um die Mittagszeit aufgewacht, auf dem Grunde des Steinbruches ... Die zwei dort haben mich dann gefunden ...«

»Das hat mit dem Fall nichts zu tun«, meinte Studer. »Dieser Überfall beweist nur eines: Jemand wollte das Testament des James Farny an sich bringen. Nun komme *ich* an die Reihe. Als ich vor vier Monaten durch Zufall einen Abend in der Wirtschaft ›Zur Sonne‹ zubrachte, weil ich vergessen hatte zu tanken, und mein Töff nicht bis nach Gampligen stoßen wollte – denn es waren immerhin sechs Kilometer und die Sommernacht heiß und gewittrig – gelangte ich in den Privatraum des Wirtes Brönnimann, wo vier Männer um einen Tisch saßen und jaßten. Ich fühlte gleich, daß meine Anwesenheit unerwünscht war und erkundigte mich nach dem Weg zur Laube ... Dort stützte ich mich auf die Brüstung, und sah vor mir einen Ahornbaum, dessen Blätter sich fast zählen ließen ... Von irgendwoher mußte der Baum beschienen werden, und als ich nach der Lichtquelle fahndete, sah ich ein hellerleuchtetes Zimmer, in dem ein Mann eifrig in ein Wachstuchheft schrieb. Ein Stoß von fünf anderen Heften lag neben seinem rechten Ellbogen. Ich betrachtete den Fremden – und da passierte mir ein Mißgeschick: ich mußte nießen ... Der Fremde sprang auf, sein Stuhl fiel um, mit drei seitlichen Sprüngen war er am Fenster und ich war *überzeugt*, daß seine Rechte, die in der Tasche seiner Hausjoppe aus Kamelhaar steckte, einen Revolver hielt, dessen Mündung auf meinen Bauch gerichtet war... Immerhin drei merkwürdige Tatsachen: Ein Fremder schreibt im Zimmer einer verlassenen Wirtschaft seine Memoiren, er ist bewaffnet, beim geringsten Geräusch ist er bereit, zu schießen... Ich lernte den Fremden kennen: sein Paß, der in allen Weltteilen erneuert worden war, in Asien, in Amerika, lautete auf den Namen Farny James, geboren am 13. März 1878, heimatberechtigt in Gampligen, Kanton Bern... Der Mann riß das Fenster auf, ich mußte mich legitimieren, und erst als dieser Farny sah, daß er es mit einem Polizeiwachtmeister zu tun hatte, versorgte er seinen Revolver, einen Colt, eine großkalibrige Waffe. Schon damals, vor vier Monaten, erzählte mir der Fremde, sein Leben sei bedroht; er hoffe, daß ich die Untersuchung über seinen Mord führen werde... Natürlich war mein erster Gedanke, daß ich es mit einem Verfolgungswahnsinnigen zu tun habe und ich überlegte mir, ob ich nicht die Sanitätspolizei alarmieren solle, um den Mann in die Anstalt überführen zu lassen... Außerdem fiel mir noch auf, daß der Fremde absolut Bruderschaft mit mir trinken wollte – was ich natürlich ablehnte... Ich ging dann mit ihm in die Gaststube, wurde Zeuge eines Streites: die Insassen der Armenanstalt, die in diesem Raume schnapsten, sowie einige Gartenbauschüler wollten sich an mir vergreifen, gaben das Projekt jedoch auf. Dieser Farny James schien eine gewisse Macht über die Anwesenden auszuüben. Schließlich mischte sich der Direktor der Gartenbauschule und auch der Hausvater der Armenanstalt (sie jaßten in dem Raum, den ich zuerst betreten hatte) in den Streit, beruhigten die Gemüter und schickten die Armenhäusler sowohl als auch die Gartenbauschüler schlafen. Der

Wirt Brönnimann entdeckte zwei Fünfliterkannen Benzin, ich konnte mein Reservoir auffüllen und davonfahren. Hernach vergaß ich die merkwürdige Szene, bis ich vier Monate später, auf den Tag genau, am 18. November, vom Statthalter Ochsenbein aufgefordert wurde, einen geheimnisvollen Mord aufzuklären, der auf dem Friedhof von Pfründisberg passiert war...

Auf einem frischen Hügel, in dem Frau Hungerlott-Äbi begraben war, lag die Leiche des James Farny, den ich für mich wegen seiner geschlitzten Augen stets den ›Chinesen‹ nannte. Der Mann war durch einen Herzschuß getötet worden, jedoch waren weder sein Hemd noch seine Kleidungsstücke mit Blut besudelt. Ich schloß daraus, der Tote sei an einem anderen Orte ermordet, hernach umgekleidet und hierher transportiert worden... Wichtig war für mich, festzustellen, vor wem der Tote Angst gehabt hatte. Da ich aus seinem Paß ersehen hatte, daß er aus Gampligen stammte, kamen zuerst – ich überzeugte mich, daß er reich war – seine Verwandten in Betracht...

Der Tote hatte eine verheiratete Schwester in Bern. Bevor sie mit dem Maurer Äbi eine Ehe einging, hatte sie einen unehelichen Sohn zur Welt gebracht, der den Namen der Mutter trug: er sitzt hier neben mir... Ludwig Farny heißt er. Dem Äbi gebar die Frau zwei Kinder, ein Mädchen Anna, die später den Hausvater Hungerlott heiratete, einen Sohn Ernst, der den Jahreskurs der Gartenbauschule Pfründisberg besuchte...

Herr Notar Münch war von James Farny zu einer Besprechung bestellt worden, die am 18. November stattfinden sollte. An diesem Tag, zu dieser Stunde, war der ›Chinese‹ schon tot – Herzschuß ... Die Kugel, die den Tod herbeigeführt hat, ist verloren – ich besitze nur die Hülse, die ich vorgestern gefunden habe.

Meine Herren! Anna Hungerlott-Äbi, die Nichte des ›Chinesen‹, ist vor vierzehn Tagen an einer Darmgrippe gestorben. Dieser plötzliche Tod weckte den Verdacht ihres Onkels, und wegen dieses Todes bestellte er Herrn Notar Münch nach Pfründisberg zu einer Besprechung ... James Farny verdächtigte offenbar den Hausvater Hungerlott, den Gatten der Anna, seine Frau mittels Arsen vergiftet zu haben. Münch hat dies fast bewiesen ...

Durch einen Zufall gelang es mir, den Beweis für den Verdacht – ich kann ruhig sagen, meines Freundes – zu erbringen. Drei Taschentücher, die von Frau Hungerlott-Äbi gebraucht worden waren, enthielten deutliche Arsenspuren ... Den Rapport über diese Angelegenheit wird der Assistent am Gerichtsmedizinischen Institut, Dr. Malapelle, der zuständigen Behörde überreichen.

Herr Hungerlott, Hausvater der Armenanstalt Pfründisberg, gab sich Mühe, das Dokument, das Herrn Notar Münch nach Pfründisberg rief, in seinen Besitz zu bekommen. Zu gleicher Zeit besaß mein Freund, der Notar, ein handgeschriebenes Testament des ermordeten James Farny. Es ist dem Zufall zuzuschreiben, daß es dem Hausvater nicht gelang, beide Dokumente in seine Hände zu bekommen. Er lud den Notar ein, bei ihm in der Armenanstalt zu wohnen. Notar Münch hat Ihnen erzählt, was in der ersten Nacht vorgefallen ist.

Es war jedoch ein Mitwisser vorhanden, ein Mitwisser an der Ermordung des James Farny. Sie werden zugeben müssen, meine Herren, daß es für einen einzigen Menschen unmöglich war, den ›Chinesen‹ zu erschießen, ihn anzuziehen, und seine Leiche an einen Ort zu bringen, der die Polizei auf eine falsche Spur führen sollte. Der Mitwisser, der Mithelfer, war Ernst Äbi, Schüler der Gartenbauschule. Es wäre mir nie in den Sinn gekommen, diesen Burschen zu verdächtigen. Doch wurde am ersten Tage meines Hierseins mittels einer Schleuder eine Bleikugel durch die Fensterscheibe meines Zimmers geschossen, an der eine Warnung angebracht war: ›Finger ab de Röschti!‹ Die Warnung, die getippt war, machte mich stutzig: Warnungen werden gewöhnlich nicht so familiär formuliert, werden besonders nicht im Dialekt geschrieben...

Die Warnung konnte nicht von Vater Äbi stammen, ich wußte, daß er in Bern war, daß er dort in einer Kohlenhandlung eine Aushilfsstelle gefunden hatte.

Schlußfolgerung?

Der Mann, der bei dem Transport der Leiche mitgeholfen hatte, mußte mir diese Warnung zugeschickt haben... Sie werden mich fragen, warum mein Verdacht nicht auf Ludwig Farny fiel... Im Augenblick, da ich die Warnung erhielt, lag Ludwig Farny im Zimmer der Serviertochter Hulda Nüesch. Als ich ihm später den Zettel zeigte, wurde er rot: also mußte er den Mann kennen, der mir die Warnung zugeschickt hatte... Wen kannte Ludwig außer den Armenhäuslern, die, wie alle Alkoholiker, schwatzhaft waren und daher als Komplizen ungeeignet? Seinen Stiefbruder, Ernst Äbi. Später erfuhr ich, daß Äbi Ernst dem Ludwig geholfen hatte, als dieser sich in Not befand. Nun war mir der Fall klar: Der Mann, der hinter den Morden steckte, konnte versuchen, sich seines Mitwissers zu entledigen. Ich gab deshalb Ludwig Farny den Auftrag, auf seinen Stiefbruder aufzupassen ... Denn, meine Herren, Ernst Äbi würde sicher alles versuchen, um seinen Vater zu decken. Inzwischen war ich nach Bern gefahren und lernte dort – wenn auch indirekt – den Charakter des ehemaligen Maurers Äbi kennen. Der Mann besaß Geld, er trank, brutalisierte seine Frau – und, was das Merkwürdigste war, er war sehr eng befreundet mit dem Hausvater der Armenanstalt, Herrn Hungerlott.

Ob diese Freundschaft aus der Zeit stammt, da Hungerlott Äbis Tochter heiratete – ob umgekehrt Hungerlott den Vater Äbi von früher her kannte, wird die Untersuchung zeigen. Kurz, Herr Hungerlott nahm seinen Freund, den Hilfsarbeiter Äbi, nach Pfründisberg mit. Auch die zweite Frage: ob Hungerlott oder Vater Äbi den Gartenbauschüler in das mit Blausäuredämpfen gefüllte Gewächshaus gelockt hat, wird ebenfalls bei der Untersuchung zutage kommen. Genug ...

Dem Schüler Äbi Ernst gelang es, aus dem Krankenzimmer zu fliehen, während Ludwig Farny schlief, er ging zur vorausbestimmten Zusammenkunft, die wohl im Gange vor den Gewächshäusern stattfand ... Schnell wird eine Türe geöffnet, der Bursche in das Glashaus gestoßen, der Schlüssel von außen mit einer Zange umgedreht – et le tour est joué: wie der welsche Nachbar sagt. Wahrscheinlich hat Hungerlott von einigen Insassen der Armenanstalt, in der Gaststube der Wirtschaft ›zur Sonne‹, einen Krach inszenieren lassen, der die Schüler vor die Fenster der Wirtschaft lockte und somit eine frühzeitige Entdeckung des Ernst Äbi verhinderte.

Leider wachte Ludwig Farny zu spät auf, er kam mich holen, der Lehrer Wottli gab mir seinen Schlüssel (vorher lüfteten wir das Glashaus) und wir öffneten die von innen verschlossene Türe ...

Hier hat der Mörder einen Fehler begangen ... Aber eigentlich blieb ihm keine andere Wahl: Entweder mußte er den Schlüssel mit den Kratzspuren am Metallteil hinter dem Bart finden lassen, oder er mußte einen neuen Schlüssel ins Schloß stecken ... Wahrscheinlich war ihm nicht genug Zeit geblieben, um den glänzenden Schlüssel zu oxydieren und ihn somit dem anderen gleich zu machen ... Hätte er dies getan, so wäre es mir unmöglich gewesen, dem Mörder auf die Spur zu kommen. So aber hat er ein Versehen begangen – und durch dies Versehen ist es mir gelungen, den Fall aufzudröseln. Hier ist der fragliche Schlüssel ...

Nicht durch diesen Schnitzer allein: im Testament, das James Farny hinterlassen hatte, war ausdrücklich festgelegt worden, daß die Männer, die Gatten seiner Verwandten (seiner Schwester und seiner Nichte) *nicht* erbberechtigt seien. Ein Kodizill änderte etwas – doch nicht viel. Verschwand dieses Testament, so blieb Herr Hungerlott – wohl durch ein Testament seiner Frau – erbberechtigt.

So, wie ich jetzt die Sache überblicke, scheint es mir, als sei meinem Freunde Münch eine Falle gestellt worden: Vater Äbi wurde nur deshalb nach Pfründisberg geführt, ihm wurde ein Gastzimmer nur deshalb angeboten, um den Notar dazuzubringen, das Haus zu verlassen, mich zu besuchen ... Wahrscheinlich wollte man ihn schon vor seiner Zusammenkunft mit mir niederschlagen und ihm das Testament und James Farnys Brief entwenden ...«

»Ich möchte den Herrn Statthalter fragen, wie lange er noch seinem Untergebenen zu erlauben gedenkt, Märli zu erzählen?« warf in diesem Moment Hungerlott dazwischen.

»In Bern ist die Phantasie des Wachtmeisters Studer sprichwörtlich; vom Gefreiten bis hinauf zum Polizeihauptmann wird der Spruch gebraucht: ›Dr. Köbu spinnt!‹ Oder stimmt's etwa nicht?« Massig und breitbeinig und ruhig stand Studer vor dem Kamin, er zuckte die Achseln ...

Schweigen ... Verlegenes Schweigen ... Des Hauptmanns Gesicht war rot geworden und auch die Gesichter der übrigen erinnerten in der Farbe an reife Tomaten.

Studer wandte sich an Vater Äbi:

»Auf der Polizei ist auf Euren Namen ein Motorrad, Marke Harley Davidson, eingetragen. Könnt Ihr mir sagen, mit welchem Geld Ihr das teure Töff gekauft habt? Wer Euch die Steuer gezahlt hat?«

»Mit ... myne ... Ersparnisse ...«, stotterte der ehemalige Maurer.

»Reinhard«, sagte Studer, »hol die Frau!«

Die Mutter

Der Gefreite Reinhard ging zur Tür, öffnete sie, schloß sie von draußen; kam wieder zurück; ihm folgte eine alte Frau, deren graue Haare kurz waren und unordentlich vom Kopfe abstanden. Viele Runzeln durchfurchten ihr Gesicht. Sie trug einen einfachen Hut – und ein Wollschal war über ihre Brust gekreuzt und im Rücken festgebunden.

»Frau Äbi«, sagte Studer sanft. »Seit wann besitzt Ihr Mann ein Motorrad?«

»Si Fründ hets ihm g'schenkt...«

»Welcher Freund?«

»Äh, dr Hungerlott!«

»Wann?«

»Vor sechs Monate!«

– Ob der Mann das Töff viel gebraucht habe? Und man solle der Frau einen Stuhl geben!

Keiner der Herren stand auf, Ludwig Farny aber sagte: »Chumm, Muetter!« Er trat auf die alte Frau zu, nahm sie am Arm, führte sie zu seinem Stuhl, dann stellte er sich neben seinen Freund, den Wachtmeister.

Die Frau erzählte: – Oft sei der Mann in der Nacht fortgefahren. Sie könne nicht sagen wohin. Als man sie heute morgen mit dem Polizeiauto geholt habe, da sei es ihr unverständlich gewesen, was man von ihr wolle... Sie unterbrach sich, um Ludwig zu fragen, wie es ihm gehe... Der

Bursche nickte: Es gehe ihm gut, er habe Glück gehabt, und wahrscheinlich würden sie beide jetzt reich werden ...

Hungerlotts spitze Stimme unterbrach wieder das Gespräch: – Wegen dem Reichwerden habe wohl das Zivilgericht auch noch ein Wort zu sagen ... Das Mädchen mit der weißen Schürze und dem weißen Häubchen auf dem Bubikopf kam herein und trug vor sich her ein Tablett, auf dem Gläser klingelten. In der Rechten hielt sie am Halse drei Flaschen ... Der Hausvater meinte, die Herren würden wohl gerne eine kleine Erfrischung zu sich nehmen. Es sei ja unerhört, den Besuch einer Anstalt in ein Verhör ausarten zu lassen ...!

Vater Äbis Gesicht hatte sich verändert; seine Haut war blaß geworden, seit die Frau den Raum betreten hatte ... die Mutter erzählte – und ihre Stimme war gar nicht weinerlich –:

– Ein schönes Leben habe sie nicht gehabt ... und jetzt sei noch der einzige Mensch gestorben, der sie beschützt habe, der einzige, vor dem *der* dort (ihre verarbeitete Hand wies auf Vater Äbi) Angst gehabt hätte. Das schönste Leben habe sie gehabt, wenn der Sohn daheim gewesen sei, der *eine* Sohn, verbesserte sie sich rasch, als sie sah, daß Ludwigs Augen traurig wurden ... – Ja, vor dem Ernst habe der Mann Angst gehabt und wenn er noch so besoffen gewesen sei, habe er nicht gewagt, sie anzurühren, wenn der Ernst daheim gewesen sei ... Nur, äbe; der Ernst sei viel fort gewesen, aber er habe ihr oft geschrieben. Diesen Brief hier zum Beispiel ... Sie kramte in einer alten Handtasche, zog einen zerlesenen Brief heraus und wollte ihn Studer geben. Um der Frau das Aufstehen zu ersparen, trat der Wachtmeister auf sie zu – aber er war nicht schnell genug ... Vater Äbi sprang auf, wie eine Kralle schnellte seine Hand vor – den Brief! Den Brief wollte er haben!

Und fast wäre es ihm gelungen – wenn nicht der Gefreite Reinhard gewesen wäre. Vater Äbi hätte den Brief fast erwischt ... Aber der vife Reinhard stellte ihm ein Bein, Äbi fiel auf die Nase – und ruhig, als ob nichts geschehen wäre, nahm Studer den Brief, entfaltete ihn und fragte: »Darf ich den Brief vorlesen?« Nicken, Nicken allerseits. Studer las:

»Liebe Mutter!

Einem Menschen muß ich beichten. Diese Nacht hat jemand Steine gegen mein Fenster geworfen, ich war wach, die Kameraden hörten nichts. Als ich hinausschaute, erkannte ich den Vater, der mir winkte. In der Nacht ist die Tür der Schule versperrt. Darum ging ich in den ersten Stock, wo ich ein Fenster kenne, neben dem ein dicker Efeuzweig bis zum Boden reichte, ich turnte hinunter und traf den Vater. Er führte mich in die Heizung. Dort lag der Onkel erschossen am Boden. Er war bekleidet mit einem Nachtanzug und darüber hatte er einen Mantel gezogen. Der Vater schickte mich in das Zimmer des Onkels, ich solle dort einen Anzug, ein Hemd, Socken, Schuhe und einen Überzieher holen. Wir zogen die Leiche aus und bekleideten sie mit den Kleidungsstücken, die ich mitgebracht hatte. Der Tote war noch nicht steif. Dann befahl mir der Vater, ihm zu helfen, den Toten auf den Friedhof zu tragen. Wir legten die Leiche auf das Grab der Anna. Die Polizei sollte meinen, der Onkel hätte sich wegen Liebesgram erschossen. Dann gingen wir in die Heizung zurück. Es war noch genug Glut vorhanden, um den Mantel zu verbrennen, doch dann wurde das Feuer so schwach, daß es unmöglich war, auch den Schlafanzug zu verbrennen. Der Kittel war ja noch naß von Blut. Der Vater ließ mich schwören, den Kittel bei erster Gelegenheit zu verbrennen. Ich nahm ihn mit, kletterte am Efeu wieder in die Höhe, versteckte das Wäschestück in meinem Schaft und gedachte es am nächsten Tage in die Zentralheizung zu werfen. Nach der Postverteilung sah ich, daß Lehrer Wottli ein Packpapier fortwarf; das nahm ich und packte den Kittel darein. Ich wollte in der Nacht aufstehen und beides in der Zentralheizung der Schule verbrennen, aber ich kam nicht dazu. Um halb vier Uhr morgens fuhr der Vater auf seinem Töff Bern zu. Ich sah ihm nach, als plötzlich jemand neben mir stand: es war der Ludwig. Da ich ihm schon einmal geholfen hatte, versprach er mir, nichts von dem zu erzählen, was er gesehen hatte.

Ich habe dir das alles erzählen müssen, Mutter, weil ich es sonst nicht aushalte, aber erzähl niemandem etwas davon, besonders dem Vater nicht.

Muetti, viel Liebes von deinem Sohne Ernst.

Aber erzähl niemandem etwas von dieser Sache.«

»Und dieser Brief soll echt sein? Hahaha!« Vater Äbi lachte, »ich allein hab' doch den Schlüssel zum Briefkasten!«

Studer blickte die alte Frau an: Sie war ärmlich gekleidet, ihr Rock war lang und unter dem Saum sahen grobe Schuhe hervor. Wie viele alte Frauen hielt sie die Arme verschränkt, so zwar, daß ein Ellbogen in der hohlen Hand ruhte. Sie stand auf, ihr gebeugter Rücken streckte sich – wirklich, diese alte Frau, die Studer krank gesehen hatte, sah vornehm aus. Und die Antwort, die sie ihrem Manne gab, war nicht etwa höhnisch, nein, Verachtung lag in ihr, aber eine würdevolle Verachtung.

Der Noldi halte sie für so dumm, sagte sie und wandte sich ausschließlich an den Wachtmeister, daß er meine, sie lasse ihre Briefe nach Hause kommen! Seit Jahren schon habe sie eine Freundin, an die sie die Briefe schicken lasse, von denen sie nicht wolle, daß der Mann sie sehe. Hier sei die Adresse, wenn sie den Wachtmeister interessiere ...

Studer nahm beides an sich: Brief und Enveloppe, übergab die Papiere dem Statthalter und sagte – er bediente sich des Schriftdeutschen –: »Sie lassen beides zu den Akten legen ...«

»Habe ich also doch recht gehabt, Herr Wachtmeister?«

Studer lupfte die Achseln: »Es war nicht schwer zu erraten«, meinte er.

Eine Flut von Schimpfworten ergoß sich aus Vater Äbis Mund. Doch schließlich ging dem Manne der Atem aus und in die Pause hinein sagte die alte Frau: »Ich hätte ihn nie verraten, wenn er nicht den Ernst ...«

Ihre Augen blieben trocken, sie zog aus der abgeschabten Handtasche ihr Nastuch, schneuzte sich.

Die Stille im Raum war so tief, daß man das Summen einer Winterfliege hören konnte ... Was nun ... Studer erinnerte den Statthalter, daß es an ihm war, einen Entschluß zu fassen.

»Verhaften«, sagte Herr Ochsenbein, »beide verhaften ...«

Vater Äbi stand da, die Unterlippe hing ihm aufs Kinn,

ratlos starrten seine Schnapseräuglein. Aber der Hausvater Hungerlott entschloß sich schneller: ein Sprung... Zersplitterndes Glas: Der Hausvater war zum Fenster hinausgesprungen. Alles drängte sich zu den zerbrochenen Scheiben. Unten lag der Mann, mühsam kroch er vorwärts; sicher hatte er ein Bein gebrochen...

Mutter Äbi stand mitten im Zimmer; ein Wollschal war auf ihrer Brust gekreuzt und ihre verarbeiteten Hände waren gefaltet. Leise sagte sie:

»Mein ist die Rache, spricht der Herr...« Dann lösten sich die Finger voneinander, die alte Frau nahm die Handtasche, die sie unter ihren Arm geklemmt hatte, suchte darin und brachte schließlich ein Päckchen Briefe zutage.

»Die hat mir der Ernst gebracht – nach dem Tode der Anna. ›Behalt sie auf, Mutter‹, hat er gesagt. ›Nicht, daß sie in böse Hände kommen‹. Jemand hat sie der Schwester geschrieben, sie waren der einzige Trost für die Anna! Aber Ihr, Herr Studer, könnt sie behalten, wenn Ihr wollt...«

Studer blätterte in dem Päckli. »Meine Geliebte!« – »Meine Innigstgeliebte!« – »Liebste! Bist du krank? Ich bin so traurig. Ist dein Mann gut zu dir? Sobald du gesund bist, mußt du die Scheidung einleiten. Ich habe mit deinem Onkel gesprochen und dieser ist einverstanden...« Der Wachtmeister setzte sich in einen Stuhl, das Summen im Zimmer störte ihn nicht. Er las weiter: »Meine Mutter hat mir gesagt, sie freue sich, dich begrüßen zu können. Dann wollen wir auch versuchen, deiner Mutter zu helfen. Die arme Frau...«

»Was liest du da, Studer?« fragte der Polizeihauptmann. »Gehört das nicht auch zu den Akten?«

Der Wachtmeister schüttelte den Kopf. »Das hat nichts mit dem Fall zu tun. Gar nichts. Eine Privatsache, weiter nichts.«

»Dann ist's gut. Wenigstens einmal hast du dich nicht blamiert.«

»Nicht blamiert? Du hast eine Ahnung! Ich hab' nicht herausbringen können, warum ein Packpapier bei der Untersuchung einen Marshschen Spiegel gehabt hat. Und der Mann, der mir das sagen könnte, ist abgereist.«

»Ein Zeuge?« fragte der Hauptmann. »Hast du einen Zeugen verreisen lassen? Was fällt dir ein?«

»Er wird nicht erben können, der Zeuge. Nicht erben können! Zwar – erben wollte er nicht, darum macht es nichts.«

»Du redest wieder einen Chabis zusammen! Ein wenig hat der Hungerlott doch recht gehabt!«

Studers Schnurrbart begann zu zittern. Er wandte den Kopf. Sein Freund, der Notar, stand hinter ihm.

»Münch«, fragte der Wachtmeister, »wann spielen wir wieder Billard?«

»Öppe in zwo Woche...«, meinte Münch. Er griff an seinen Schädel, der ihn arg zu schmerzen schien.

»Das kommt davon«, sagte Studer, »wenn man mit achtundfünfzig Jahren Räuberlis spielen will...«

Friedrich Glauser
im Diogenes Verlag

Wachtmeister Studer

Roman

Mord? Selbstmord? Oder doch Mord? Der erste Roman Glausers mit Wachtmeister Studer.

»Glauser erfand die Figur des Wachtmeisters Studer. Nach eigener Auskunft dachte er dabei an Georges Simenons Maigret. Aber Studer wurde nicht eine Kopie. Glauser verhalf ihr zu unverkennbar helvetischer Selbständigkeit, indem er das Hintergründige in die Biederkeit steckte.« *Hugo Loetscher*

»Der Fahnder, den sogar die Sträflinge mit ›Eh, der Studer!‹ begrüßen, ist ein massiger Mann, ›schwer und hart wie einer jener Felsblöcke, die man auf Alpwiesen sieht‹. Wer je den Schauspieler Heinrich Gretler im Film als Wachtmeister Studer gesehen hat, der kann auf weitere Metaphern verzichten. Studers Lieblingsgetränk ist ›Kaffee Kirsch‹, unter seinem Schnauzer ragt eine Brissago hervor, und wenn er seine langen Verhöre beginnt, dann zieht er ein Ringbuch aus der Tasche und fordert den Verdächtigen auf: ›Hocked ab.‹ Das ist ein Ritus wie das Bier und die belegten Brote, die sein Pariser Kollege Maigret aus der Brasserie Dauphine holen läßt.« *Süddeutsche Zeitung, München*

Die Fieberkurve

Roman

Wachtmeister Studers zweiter Fall: Die Spur beginnt in Paris, über Basel und Bern gelangt Studer nach Marokko, das Glauser aus seiner Zeit als Fremdenlegionär kennt.

»Auf Mörderjagd in Marokko raucht Studer Kif, und die Haschischmusik klingt ihm, ›als werde der Berner

Marsch von himmlischen Heerscharen gespielt‹. Darüber geht ihm nichts, und um sein höchstes Wohlgefühl auszudrücken, ist schon sein stärkster Superlativ nötig: ›Suber!‹ sagte er. ›Cheibe suber isch es gsy!‹«
Süddeutsche Zeitung, München

»Friedrich Glauser mit seinem abenteuerlich umgetriebenen Leben und seiner Fähigkeit, es spontan in Sprache umzusetzen, mit seiner Unmittelbarkeit, seiner leidend und leidenschaftlich durchlebten Erfahrung ist tatsächlich eine Entdeckung.«
Bayerischer Rundfunk, München

Matto regiert

Roman

Unfall oder Mord? Wachtmeister Studer recherchiert in einer Umgebung, die Glauser aus eigener Erfahrung nur zu gut gekannt hat:
»Eine Geschichte muß irgendwo spielen. Die meine spielt im Kanton Bern, in einer Irrenanstalt. Was weiter?... Man wird wohl noch Geschichten erzählen dürfen?«
Friedrich Glauser in seiner ›Notwendigen Vorrede‹

»Offenkundig autobiographisch geprägt ist dieser Roman, der eine deprimierende Fülle hoffnungsloser Lebensläufe ganz undramatisch, als handele es sich um lauter Normalfälle, erzählt, Lebensläufe, die im Alkoholismus, in Schizophrenie und Mord enden und enden und enden.«
Bücherkommentare, Freiburg im Breisgau

»In diesem Werk Glausers ist auch ein surrealistisches, ein visionäres Element, Einfühlung für die Verrückten und ihre andere Welt: ›Ich kann mich nicht mehr über Verrückte wundern, die Stimmen hören, denn ich habe selbst Unsichtbare sprechen gehört.‹ Der Roman *Matto regiert* spielt in einem Irrenhaus, und das Irrenhaus wiederum ist hier – wie schon oft – ein Bild für die Welt.« *Die Zeit, Hamburg*

Der Chinese

Roman

»Eine Schweiz, wie sie sonst keiner kennt: Pfründisberg, ohne jeden Fremdenverkehr, ein Weiler, bestehend aus einer Armenanstalt, einer Gartenbauschule, zwei Bauernhöfen, der Schnapsbeize ›Zur Sonne‹, wo die Armenhäusler am Wochenende ihr ›Bätziwasser‹ trinken und aus dem Friedhof, wo man auf einem Grab die Leiche des ›Chinesen‹ findet, eines in seine Heimat zurückgekehrten Auslandschweizers – er ist erschossen, es ist Mord, und seine Ermordung hat der ›Chinese‹ schon vor drei Monaten dem Wachtmeister Studer vorausgesagt. *Der Chinese* ist mehr als ein Rätselspiel für den Fahnder Studer – soziale und psychische Atmosphäre: Armut und Angst, wie sie Simenon nicht besser geschildert hat.«
Süddeutsche Zeitung, München

»Glauser, den man zum Lügner gemacht hatte, stellte fest, daß alle lügen. Ihm leuchtete die Kollektivlüge ein; ansonsten wäre in einer Gesellschaft nicht möglich, was er ›Geselligkeit‹ nannte. Genau diese Geselligkeit aber zerstörte er. Er, der nicht ins Bild paßte, zeigte, wie das Bild nicht stimmt. Er führte vor, was wir alle zu vermeiden suchen: ›Als jener arme Hund dazustehen, der jeder von uns nun einmal ist.‹«
Hugo Loetscher

Krock & Co.

Roman

»Wachtmeister Studer ist kein superschlauer Meisterdetektiv mit divinatorischen Kombinationsgaben, eher der Typ des etwas schwerfälligen Dorfpolizisten, ein Mann, der den Alkohol nicht verschmäht und der sich gern aus der Enge seiner Lebensverhältnisse hinwegträumt in bessere ferne Welten, ein Mann, der aus eigener Erfahrung weiß, was es heißt, im Schatten dahinleben zu müssen.« *Hessischer Rundfunk, Frankfurt*

»Wie Maigret muß Studer eine Zeitlang im Milieu der Verdächtigen untertauchen, muß er ein Teil dieses Milieus werden, dann kann er mühelos so viele Verdächtige ausscheiden, bis der Schuldige zwangsläufig übrigbleibt. Studer freilich tut dies auf eine zurückhaltende und bedächtige Berner Art; er weiß: ›Es war nie gut, sich auf einen Fall zu stürzen wie eine hungrige Sau aufs Fressen‹; er macht systematisch Bekanntschaften und sammelt Bilder, ›eigentlich nicht anders als ein Fisel Schokoladebildli‹.«
Süddeutsche Zeitung, München

Der Tee der drei alten Damen

Roman

Das Genf der dreißiger Jahre als Schauplatz internationaler Intrigen, schwarzer Magie und rätselhafter Todesfälle.

»Glausers Kriminalromane sind nicht nur Schilderungen, angesiedelt in helvetischer Umgebung. Vorbild mußten für den Schriftsteller die ersten Maigret-Romane von Georges Simenon sein. In dem Roman *Der Tee der drei alten Damen* heißt es einmal: ›Spotten Sie nicht über Kriminalromane – sie sind heutzutage das einzige Mittel, vernünftige Ideen zu propagieren.‹ Für Glauser war die Form des Kriminalromans ein Mittel, sich für die verschiedensten Themen einzusetzen: es waren und es sind Themen, die ihm von eigenen Erfahrungen aufgedrängt wurden. Strafvollzug, Rauschgiftsüchtigkeit, Bedrängnis im Außenseitertum: es sind damit nur Andeutungen gegeben, wie Glauser versuchte, Verhaltensweisen in Situationen darzustellen.« *Tages-Anzeiger, Zürich*

Gourrama

Ein Roman aus der Fremdenlegion

In *Gourrama* hat Glauser seine Erfahrungen als Fremdenlegionär aus den Jahren 1921–1923 literarisch umgesetzt.

»Stimmungen zwischen Angst und Langeweile, zwischen fieberartiger Erregtheit und Erschlaffung, Mißtrauen, Prahlerei und gegenseitiges Werben um kleinste Zeichen von Anteilnahme bestimmen das Leben der Legionäre, einer zusammengewehten Truppe von Verlorenen und Verbannten. Abgeriegelt sind sie nicht nur von einer schuldbeladenen oder doch belastenden Vergangenheit, ausgesperrt sind sie auch von der Gegenwart der sie umgebenden Landschaft.«
Neue Zürcher Zeitung

»Ich glaube, daß *Gourrama* eines der besten Bücher ist, das in diesem Jahrhundert in der Schweiz geschrieben wurde.« *Peter Bichsel*

Georges Simenon in der Diogenes Neuedition

Seit 1977 betreut der Diogenes Verlag das Gesamtwerk Georges Simenons in einer Werkausgabe. Im Laufe der Jahre erschienen über 200 Bände. Seit 1995 werden Simenons Werke im Rahmen einer Neuedition in zum Teil neuen oder überarbeiteten Übersetzungen wieder aufgelegt.

»Allmählich gibt es wieder Simenon zu kaufen, und gerade wer ihn noch nicht kennt, der hat jetzt die Möglichkeit, sich Zug um Zug und auf ganz übersichtliche Weise in Simenon einzulesen.«
Rolf Vollmann / Südwestfunk, Baden-Baden

»Georges Simenon hat es wie kein anderer verstanden, in Worte zu fassen, wozu der Mensch fähig ist, in seinem Leben, mit seinem Lieben, mit seinen Lastern. Er war der Mann, der den Nobelpreis hätte erhalten müssen.« *Johannes Mario Simmel*

Im Rahmen der Neuedition bisher erschienen:
(Stand Winter 2001/2002)

Romane

Bellas Tod
Roman. Aus dem Französischen von Elisabeth Serelmann-Küchler

Der Schnee war schmutzig
Roman. Deutsch von Willi A. Koch

Drei Zimmer in Manhattan
Roman. Deutsch von Linde Birk

Der Mann mit dem kleinen Hund
Roman. Deutsch von Stefanie Weiss

Die Großmutter
Roman. Deutsch von Linde Birk

Der große Bob
Roman. Deutsch von Linde Birk

Die Wahrheit über Bébé Donge
Roman. Deutsch von Renate Nickel

Der kleine Heilige
Roman. Deutsch von Trude Fein

Die Glocken von Bicêtre
Roman. Deutsch von Magda Kurz

Tropenkoller
Roman. Deutsch von Annerose Melter

Der Mörder
Roman. Deutsch von Lothar Baier

Die Komplizen
Roman. Deutsch von Stefanie Weiss

Die Verlobung des Monsieur Hire
Roman. Deutsch von Linde Birk

Der Mann, der den Zügen nachsah
Roman. Deutsch von Walter Schürenberg

Die Fantome des Hutmachers
Roman. Deutsch von Eugen Helmlé

Der Tod des Auguste Mature
Roman. Deutsch von Anneliese Botond

Die Witwe Couderc
Roman. Deutsch von Hanns Grössel

Der Bürgermeister von Furnes
Roman. Deutsch von Hanns Grössel

Antoine und Julie
Roman. Deutsch von Eugen Helmlé

45 Grad im Schatten
Roman. Deutsch von Angela von Hagen

Der Zug aus Venedig
Roman. Deutsch von Liselotte Julius

Wellenschlag
Roman. Deutsch von Ulrich Hartmann

Schlußlichter
Roman. Deutsch von Stefanie Weiss

Das Testament Donadieu
Roman. Deutsch von Eugen Helmlé

Die Katze
Roman. Deutsch von Angela von Hagen

Die Marie vom Hafen
Roman. Deutsch von Ursula Vogel

Das Haus am Kanal
Roman. Deutsch von Ursula Vogel

Der Zug
Roman. Deutsch von Trude Fein

Der Mann aus London
Roman. Deutsch von Stefanie Weiss

Die Zeit mit Anaïs
Roman. Deutsch von Ursula Vogel

Das blaue Zimmer
Roman. Deutsch von Angela von Hagen

Der Bericht des Polizisten
Roman. Deutsch von Markus Jakob

Im Falle eines Unfalls
Roman. Deutsch von Hansjürgen Wille und Barbara Klau

Sonntag
Roman. Deutsch von Hansjürgen Wille und Barbara Klau

Die grünen Fensterläden
Roman. Deutsch von Alfred Günther

Maigret-Romane und -Erzählungen

Maigret und die alte Dame
Roman. Deutsch von Renate Nickel

Maigret und der Mann auf der Bank
Roman. Deutsch von Annerose Melter

Maigret und Pietr der Lette
Roman. Deutsch von Wolfram Schäfer. Mit einer Nachbemerkung des Autors

Maigret und die junge Tote
Roman. Deutsch von Raymond Regh

Maigrets erste Untersuchung
Roman. Deutsch von Roswitha Plancherel

Maigret und der gelbe Hund
Roman. Deutsch von Raymond Regh

Maigret als möblierter Herr
Roman. Deutsch von Wolfram Schäfer

Maigret und die Bohnenstange
Roman. Deutsch von Guy Montag

Maigret bei den Flamen
Roman. Deutsch von Claus Sprick

Maigret und die widerspenstigen Zeugen
Roman. Deutsch von Wolfram Schäfer

Maigret und der Gehängte von Saint-Pholien
Roman. Deutsch von Sibylle Powell

Maigret und der verstorbene Monsieur Gallet
Roman. Deutsch von Roswitha Plancherel

Maigret und die Keller des ›Majestic‹
Roman. Deutsch von Linde Birk

Maigret zögert
Roman. Deutsch von Annerose Melter

Maigrets Nacht an der Kreuzung
Roman. Deutsch von Annerose Melter

Maigret und der Verrückte von Bergerac
Roman. Deutsch von Hainer Kober

Maigret und das Schattenspiel
Roman. Deutsch von Claus Sprick

Maigret und das Dienstmädchen
Roman. Deutsch von Hainer Kober

Maigret in der Liberty Bar
Roman. Deutsch von Angela von Hagen

Maigret regt sich auf
Roman. Deutsch von Wolfram Schäfer

Maigret und der einsame Mann
Roman. Deutsch von Ursula Vogel

Maigret und der Spitzel
Roman. Deutsch von Inge Giese

Maigret am Treffen der Neufundlandfahrer
Roman. Deutsch von Annerose Melter

Maigret und das Verbrechen in Holland
Roman. Deutsch von Renate Nickel

Maigret kämpft um den Kopf eines Mannes
Roman. Deutsch von Roswitha Plancherel

Maigret amüsiert sich
Roman. Deutsch von Renate Nickel

Maigret macht Ferien
Roman. Deutsch von Markus Jakob

Mein Freund Maigret
Roman. Deutsch von Annerose Melter

Hier irrt Maigret
Roman. Deutsch von Elfriede Riegler

Maigret hat Skrupel
Roman. Deutsch von Ingrid Altrichter

Maigret contra Picpus
Roman. Deutsch von Hainer Kober

Weihnachten mit Maigret
Erzählung. Deutsch von Hans-Joachim Hartstein

Biographisches

Als ich alt war
Tagebücher 1960–1963. Deutsch von Linde Birk

Brief an meine Mutter
Deutsch von Trude Fein

Außerdem erschienen:

Meistererzählungen
Deutsch von Wolfram Schäfer, Angelika Hildebrandt-Essig, Gisela Stadelmann, Linde Birk und Lislott Pfaff

Über Simenon
Essays, Aufsätze und Zeugnisse von André Gide bis Alfred Andersch. Mit Lebensdaten, Bibliographie und Filmographie. Herausgegeben von Claudia Schmölders und Christian Strich. Zweite, erweiterte und verbesserte Auflage

Simenon auf der Couch
Fünf Ärzte verhören den Autor sieben Stunden lang. Deutsch von Irène Kuhn. Mit einer Vita in 43 Bildern, einer Bibliographie und Filmographie

Stanley G. Eskin
Simenon
Eine Biographie. Mit zahlreichen Fotos, Lebenschronik, Bibliographie, ausführlicher Filmographie, Anmerkungen, Namens- und Werkregister. Aus dem Amerikanischen von Michael Mosblech

Carissimo Simenon
Mon cher Fellini
Der Briefwechsel zwischen Federico Fellini und Georges Simenon. Mit einem Vorwort von Claude Gauteur und einem Gespräch von Georges Simenon mit Federico Fellini. Aus dem Italienischen und Französischen von Linde Birk. Herausgegeben von Claude Gauteur und Silvia Sager

Robert J. Courtine
Simenon und Maigret bitten zu Tisch
Die klassischen französischen Bistrorezepte der Madame Maigret. Aus dem Französischen von Pierre F. Sommer

Friedrich Dürrenmatt Werkausgabe im Diogenes Verlag

Werkausgabe in 37 Bänden mit einem Registerband

Jeder Band enthält einen Nachweis zur Publikations- und gegebenenfalls Aufführungsgeschichte sowie zur Textgrundlage

● Das dramatische Werk

Es steht geschrieben / Der Blinde
Frühe Stücke

Romulus der Große
Eine ungeschichtliche historische Komödie in vier Akten. Neufassung 1980

Die Ehe des Herrn Mississippi
Eine Komödie in zwei Teilen (Neufassung 1980) und ein Drehbuch

Ein Engel kommt nach Babylon
Eine fragmentarische Komödie in drei Akten. Neufassung 1980

Der Besuch der alten Dame
Eine tragische Komödie. Neufassung 1980

Frank der Fünfte
Komödie einer Privatbank. Neufassung 1980

Die Physiker
Eine Komödie in zwei Akten. Neufassung 1980

Herkules und der Stall des Augias / Der Prozeß um des Esels Schatten
Griechische Stücke. Neufassung 1980

Der Meteor / Dichterdämmerung
Zwei Nobelpreisträgerstücke. Neufassungen 1978 und 1980

Die Wiedertäufer
Eine Komödie in zwei Teilen. Urfassung

König Johann / Titus Andronicus
Shakespeare-Umarbeitungen

Play Strindberg / Porträt eines Planeten
Übungsstücke für Schauspieler

Urfaust / Woyzeck
Zwei Bearbeitungen

Der Mitmacher
Ein Komplex. Text der Komödie (Neufassung 1980), Dramaturgie, Erfahrungen, Berichte, Erzählungen. Mit Personen- und Werkregister

Die Frist
Eine Komödie. Neufassung 1980

Die Panne
Ein Hörspiel und eine Komödie

Nächtliches Gespräch mit einem verachteten Menschen / Stranitzky und der Nationalheld / Das Unternehmen der Wega
Hörspiele und Kabarett

Achterloo
Achterloo I / Rollenspiele (Charlotte Kerr: ›Protokoll einer fiktiven Inszenierung‹; Friedrich Dürrenmatt: ›Achterloo III‹) / Achterloo IV / Abschied vom Theater
Mit Personen- und Werkregister

● **Das Prosawerk**

Aus den Papieren eines Wärters
Frühe Prosa

Der Richter und sein Henker / Der Verdacht
Die zwei Kriminalromane um Kommissär Bärlach

Der Hund / Der Tunnel / Die Panne
Erzählungen

Grieche sucht Griechin / Mister X macht Ferien / Nachrichten über den Stand des Zeitungswesens in der Steinzeit
Grotesken

Das Versprechen
Requiem auf den Kriminalroman /
Aufenthalt in einer kleinen Stadt
Fragment

Der Sturz / Abu Chanifa und Anan ben David / Smithy / Das Sterben der Pythia
Erzählungen

Justiz
Roman

Minotaurus / Der Auftrag oder Vom Beobachten des Beobachter der Beobachter / Midas oder Die schwarze Leinwand
Prosa

Durcheinandertal
Roman

Labyrinth
Stoffe I–III: ›Der Winterkrieg in Tibet‹ / ›Mondfinsternis‹ / ›Der Rebell‹. Vom Autor revidierte Neuausgabe. Mit Personen- und Werkregister

Turmbau
Stoffe IV–IX: ›Begegnungen‹ / ›Querfahrt‹ / ›Die Brücke‹ / ›Das Haus‹ / ›Vinter‹ / ›Das Hirn‹. Mit Personen- und Werkregister

Theater
Essays, Gedichte und Reden. Mit Personen- und Werkregister

Kritik
Kritiken und Zeichnungen. Mit Personen- und Werkregister

Literatur und Kunst
Essays, Gedichte und Reden. Mit Personen- und Werkregister

Philosophie und Naturwissenschaft
Essays, Gedichte und Reden. Mit Personen- und Werkregister

Politik
Essays, Gedichte und Reden. Mit Personen- und Werkregister

Zusammenhänge
Essay über Israel. Eine Konzeption /
Nachgedanken
unter anderem über Freiheit, Gleichheit und Brüderlichkeit in Judentum, Christentum, Islam und Marxismus und über zwei alte Mythen. 1980
Mit Personen- und Werkregister

Versuche/ Kants Hoffnung
Essays und Reden. Mit Personen- und Werkregister

Gedankenfuge
Essays. Mit Personen- und Werkregister /
Der Pensionierte
Fragment eines Kriminalromans (Text der Fassung letzter Hand)

Registerband zur Werkausgabe
Chronik zu Leben und Werk. Bibliographie der Primärliteratur. Gesamtinhaltsverzeichnis. Alphabetisches Gesamtwerkregister. Personen- und Werkregister aller 37 Bände

Hugo Loetscher im Diogenes Verlag

»Hugo Loetscher ist zweifellos der kosmopolitischste, der weltoffenste Schriftsteller der Schweiz. Es weht ein Duft von Urbanität und weiter Welt in seinen Büchern, die sich dennoch keineswegs von den sozialen Realitäten abwenden, ganz im Gegenteil. Hugo Loetscher ist eine Ausnahmeerscheinung in der Schweizer Gegenwartsliteratur nach Frisch und Dürrenmatt. Eine Ausnahmeerscheinung ist er durchaus bezüglich der literarischen Qualität. Er ist es aber auch als Intellektueller: Eben weil es ihm gelungen ist, die kulturelle und politische Enge der Schweiz in ein dialektisches Verhältnis zu bringen. Und fruchtbar zu machen.«
Jürg Altwegg

Wunderwelt
Eine brasilianische Begegnung

Herbst in der Großen Orange

Noah
Roman einer Konjunktur

Der Waschküchenschlüssel oder Was – wenn Gott Schweizer wäre
Geschichten

Der Immune
Roman

Die Papiere des Immunen
Roman

Die Fliege und die Suppe
und 33 andere Tiere in 33 anderen Situationen. Fabeln

Die Kranzflechterin
Roman

Abwässer
Ein Gutachten

Der predigende Hahn
Das literarisch-moralische Nutztier
Mit Abbildungen, einem Nachwort, einem Register der Autoren und Tiere sowie einem Quellenverzeichnis

Saison
Roman

Die Augen des Mandarin
Roman

Vom Erzählen erzählen
Poetikvorlesungen
Mit Einführungen von Wolfgang Frühwald und Gonçalo Vilas-Boas

Hugo Loetscher & Alice Vollenweider
Kulinaritäten
Ein Briefwechsel über die Kunst und die Kultur in der Küche